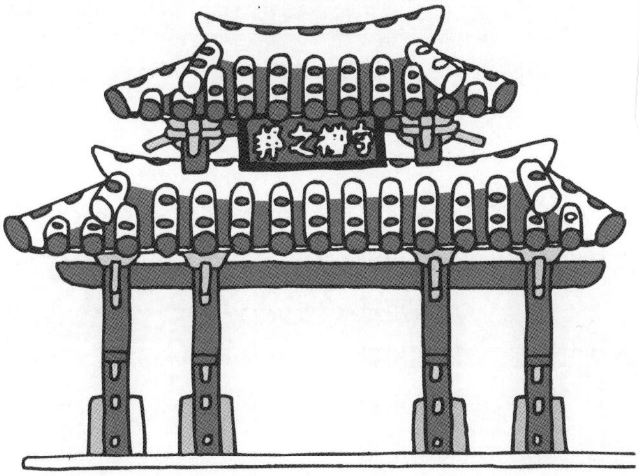

はじめに

当研究会の主催する沖縄歴史検定（略称：沖検）は、2005年度に第1回検定を実施し、2020年度までに16回の検定試験を実施してきました。当初は沖縄とかかわっていく若い人たちに、琉球・沖縄の歴史と文化に興味・関心をもってもらい、沖縄を取り巻く社会状況・自然環境などの課題を認識させるとともに、現代社会における主体的な自己の生き方と、沖縄のあるべき姿について考える機会をもってもらう―。そのような考えで県内高等学校の生徒、及び教職員のみを受検対象者として各高等学校で検定試験を行っていました。

しかし2008年度からは受検を希望する高等学校在籍者以外の声を受け、ひろく一般の方の受検も可能になりました。以後、2019年度まで同一の問題を出題し、各高等学校及び一般を対象とした検定試験を行ってきています。しばしば一般の受検者から「同じような問題が毎年出ている」、「高校生ならわかるかも知れないが、一般にはあまり知られていない問題がある」等のご意見を賜ることもありますが、以上のような経緯に由来するものです。この成立事情をくんでいただければ幸いです。

今後も定期的に検定を実施していく予定ですが、多くの方々が「自らの足もとを掘る」ことに挑戦し、沖縄を「識る」きっかけになればと考えています。

沖縄歴史教育研究会

目 次

※問題・解説とも実施・配布されたものに若干の修正が加わっており、
実際に受検したときのものと異なる箇所があります。

2016-20 年度

沖縄歴史検定

過去問題

2016年度
沖縄歴史検定
（問題用紙）

解答を始める前に読んでください。

（1） 制限時間は５０分とします。

（2） 検定を受けながら沖縄に関する学習が深められるよう、作問を工夫しました。そのため、選択肢の解答も記号ではなく、そのまま用語を書き入れて答える問題もあります。問いをよく読んで答えてください。

（3） 解答はすべて解答用紙に記入してください。なお、配点はすべて２点とし、満点は１００点です。

（4） 等級の認定は次のとおりとします。

王子級（1級）－１００点
按司級（1級）－ ９０点代最高得点者
親方級（1級）－ ９０点以上
親雲上級（2級）－ ７８～８８点
里之子級（3級）－ ６４～７６点

沖縄歴史教育研究会作成

２０１６年度　沖縄歴史検定

年　　月　　日 実施

1　次の各設問に答えてください。

土器の製作は人類が最初に発見した化学変化である。日本の縄文土器は世界最古級で約１万６千年前とされるが、a．沖縄諸島での土器の出現は約１万年前とされる。b．宮古・八重山諸島での土器文化が明確になるのは約４千年前と考えられている。

琉球での窯(よう)業（陶器）生産は、グスク時代前半に「癸酉年(みずのととりどし)高麗（　A　）匠造」の銘で知られる（A）があるが、製作した場所などについては不明である。琉球での本格的な陶器生産は、1616年に薩摩から朝鮮人陶工の一六、一官、三官の３人を招いたことで始まったと伝わる。その後、1682年には、各地にあった窯場を（　B　）窯に統一したとされる。

問１　下線部ａについて、このころの沖縄諸島の土器とされるのは次のどれですか。記号で答えてください。**（1）**

ア　押引文土器　　イ　爪形文土器　　ウ　伊波式土器　　エ　市来式土器

問２　下線部ｂについて、宮古・八重山諸島の土器文化について述べたもので適当でないのは次のどれですか。記号で答えてください。**（2）**

ア　この時期（４千年前）の土器は下田原式土器である。

イ　この土器は石垣島を中心に、宮古島でも見つかっている。

ウ　この地域では、土器を用いた時代の次には、土器を用いない時代となる。

エ　八重山諸島では、近世までパナリ焼という土器を作っていた。

問３　空欄Ａに当てはまる語（製品）はどれですか、記号で答えてください。**（3）**

ア　壺　　イ　水甕　　ウ　シーサー　　エ　瓦

問４　琉球で陶器生産には、日本のあるできごとが関わっている。そのできごととは次のどれですか。記号で答えてください。**（4）**

ア　倭寇の活動を恐れた朝鮮王朝が、陶器の輸出を禁止するようになったため

イ　キリスト教の伝来とともにヨーロッパの陶器生産技術が伝わってきたため

ウ　豊臣秀吉の朝鮮侵略で日本に連行された朝鮮人陶工が琉球にやってきたため

エ　江戸幕府の鎖国により、日本からヨーロッパへの磁器輸出が禁止されたため

問５　空欄Ｂにあてはまる地名は何ですか。記号で答えてください。**（5）**

ア　壺屋　　イ　喜名　　ウ　湧田　　エ　古我知

2　薩摩藩による琉球侵攻以降の状況について述べた文を読み、各設問に答えてください。

1609年、琉球へ侵攻した島津氏は、（　A　）王や百名余の重臣をひきつれて薩摩に凱旋した。（A）は約２年間抑留され、その間、駿府の徳川家康や江戸の将軍秀忠に謁見した。a．家康から琉球の支配権を与えられた島津氏は、奄美諸島を薩摩藩の領土に組み込んでいった。

侵攻以後、琉球は国王の代替わりごとに、その就任を感謝する使節として（　B　）を、将軍の代替わりごとに、これを祝する使節として（　C　）を幕府につかわすことになった。この使節の派遣は「江戸立」と称され、異国風の服装や装飾を装った琉球であったが、「異国」として扱われることで中国への進貢が可能となり、国を存続させることができたのである。

問１　空欄Ａには、浦添ようどれに遺骨がおさめられている国王が入りますが、その国王名を答えてください。**（6）**

問２　下線部ａについて、琉球の支配権を与えられ奄美諸島を領土とした島津氏が、琉球国の領土として残した島はどれですか。右地図中の記号（ア）～（エ）から選び答えてください。**（7）**

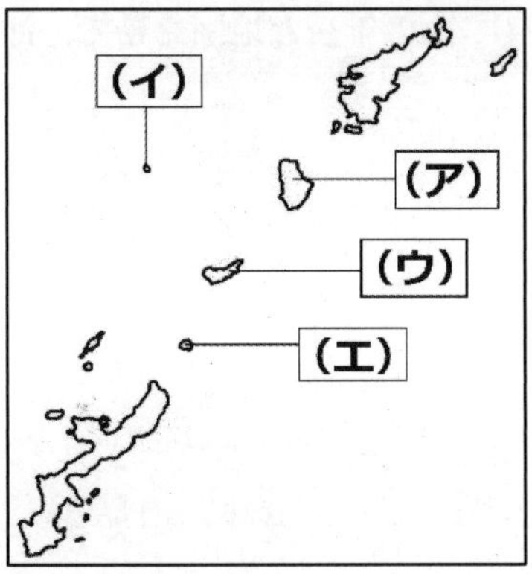

問３　空欄（Ｂ）と（Ｃ）にあてはまる語句について、それぞれ語群から選び答えてください。Ｂ**（8）**　Ｃ**（9）**

語群〔　冊封使　　慶賀使　　謝恩使　　通信使　〕

3　**右の表は琉球に来航した主な異国船をまとめたものです。表をみながら設問に答えてください。**

年 代	船　名	主な人物
1797年	プロビデンス号	ウィリアム・ブロートン
1816年	アルセスト号 ライラ号	マクスウェル バジル・ホール クリフォード
1840年	インディアン・オーク号	グレンチャー J・J・B・ボーマン
1844年	アルクメーヌ号	デュプラン
1846年	スターリング号	（　Ａ　）
1853年	サスケハナ号	ペリー

問１　1816年に来航したアルセスト号とライラ号は、ある国が派遣した使節団を中国へ送り届けた後、琉球に立ち寄っています。この２隻の船はどの国の艦船か、語群から選び答えてください。**（10）**

語群（アメリカ　　スペイン
　　　オランダ　　イギリス）

問２　1840年、インディアン・オーク号が北谷沖に漂着した出来事は、イギリスと中国（清）との間で起こった争いに関係しています。その争いの名称を答えてください。**（11）**

問３　空欄Ａには、波之上の護国寺を拠点にキリスト教の伝道に努め、『琉訳聖書』などを著した人物が入ります。その人物名を語群から選び答えてください。**（12）**

語群（フォルカード　　　ビッドル
　　　ベッテルハイム　　プチャーチン）

問４　1853年に来航したペリー艦隊について、右の地図は、『ペルリ提督日本遠征記』に収録されている「大琉球島地図」である。地図中の「ＮＡＰＨＡ」とはどの地域をさしているか、現在使用されている市町村名（漢字）で答えてください。**（13）**

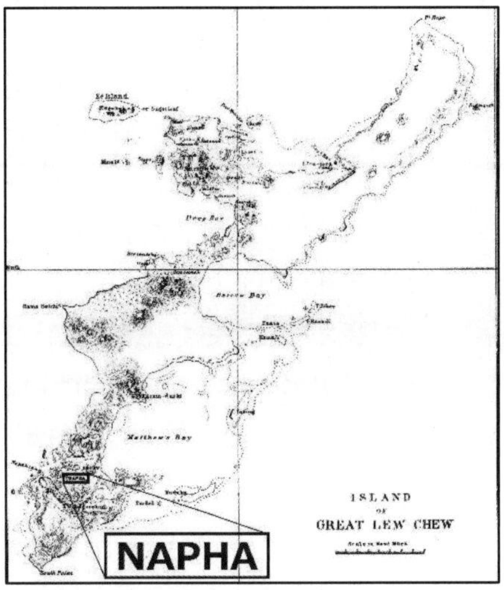

〔　次のページに続きます　〕

4　次の年表と地図を見て、沖縄の海外移民について各設問に答えてください。

年代	できごと	年代	できごと
1899	a．當山久三の斡旋で、沖縄初の移民が（　A　）へ出発。	1932	（　B　）へ開拓義勇軍が渡る
		1941	太平洋戦争が始まる（～1945）
1904	フィリピンへの移民がはじまる。 日米紳士協定が結ばれ、移民が規制される。	1944	d．サイパン島が陥落。
		1945	e．沖縄戦（3月～9月） アメリカや南米でf．戦災沖縄救援運動がおこる
1908	第1回のブラジル移民が出発。以降、南米への移民が増加		
1914	第一次世界大戦がはじまる（～1918）	1954	ボリビアへ入植はじまる
1919	元独領b．南洋諸島が日本の統治下へ	1990	第1回世界のウチナーンチュ大会
1921	c．砂糖価格が暴落	2016	第6回世界のウチナーンチュ大会

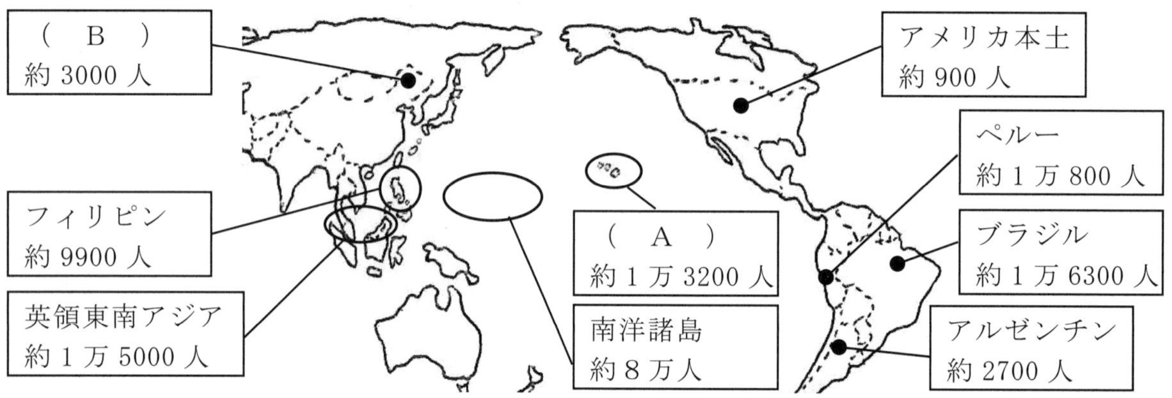

世界における沖縄県出身移民の分布（1940年）
（『沖縄大百科事典』上を参考に作成）

問1　空欄（A）に当てはまる地域名を答えてください。**(14)**

問2　空欄（B）は、1931年に日本の関東軍によって軍事占領された地域です。この地域の名称を漢字で答えてください。**(15)**

問3　下線部aについて、当時の沖縄県知事であり「琉球王」とあだ名された人物は次のどれですか。記号で答えてください。**(16)**

ア　上杉茂憲　　イ　島田叡　　ウ　鍋島直彬　　エ　奈良原繁

問4　下線部bについて、南洋諸島には多くの沖縄県人が漁業で進出していました。それは沖縄である漁法が発明されたからですが、この漁法はどれでしょう。記号で答えてください。**(17)**

ア　追い込み網漁　　イ　刺し網漁　　ウ　底引き網漁　　エ　巻き網漁

問5　下線部cについて、砂糖価格の暴落により沖縄は深刻な不況が続きますが、この不況の名称は次のどれですか。記号で答えてください。**(18)**

ア　アダン地獄　　イ　サトウキビ地獄　　ウ　サツマイモ地獄　　エ　ソテツ地獄

問6　お金をかせぐために、海外へ移民に行くという人がほとんどでしたが、それ以外にも、ある理由から移民に行った人もいます。その理由として適当なものはどれですか。記号で答えてください。**(19)**

ア　沖縄の芸能を広めるため　　イ　進んだ製糖技術を習うため
ウ　宗教の自由がほしかったため　　エ　兵役から逃れるため

問７　下線部ｄについて、サイパンをはじめとした南洋諸島での戦いの特徴として適当でないものはどれですか。記号で答えてください。**(20)**

ア　１万人をこえる沖縄県人が犠牲になった

イ　いまだに多くの未収集の遺骨がある

ウ　日本人、アメリカ人だけでなく、多くの現地住民も犠牲となった

エ　日本兵が玉砕したため住民の多くはアメリカ軍の捕虜になった

問８　下線部ｅについて、米軍が沖縄島に上陸した直後、上陸地に近い読谷村のあるガマでは、「強制集団死」がおこりました。一方、同じ地区のガマでは、移民帰りの人が投降をうながしたため「強制集団死」はおこりませんでした。「強制集団死」がおこらなかったガマの名前はどれですか。語群から選び答えてください。**(21)**

語群（アブチラガマ　シムクガマ　チビチリガマ　ヌヌマチガマ）

問９　沖縄戦も含めて太平洋戦争では、アメリカ軍に従軍した日系アメリカ人がいました。そのうちの１人、タツオ・ヤマモトが退役後に沖縄を訪れて建てたといわれる慰霊塔はどれですか。語群から選び答えてください。　**(22)**

語群（京都の塔　健児の塔　魂魄の塔　南冥の塔）

問10　下線部ｆについて、この運動を記念して、今年（2016年）３月にうるま市民劇場に写真のようなモニュメントが建てられました。写真の空欄に入る語句を答えなさい（かなも可）。**(23)**

5　次の文章は日本復帰後の沖縄に関するものです。文章を読んで設問に答えてください。

日本政府は沖縄の日本復帰を記念し、遅れた沖縄の社会基盤整備を図るために、三大事業を開催した。三大事業とは「復帰記念植樹祭」、「沖縄特別国民体育大会（　Ａ　）」、「（　Ｂ　）」のことを指す。

その当時大きな問題となったものに、石油企業側から申請のあった金武湾への「石油備蓄基地（　Ｃ　）」建設をａ．当時の県政が許可したことが挙げられる。経済政策を進める一方で、原油流出事故による環境汚染が問題となり、大きな反対運動が起きた。

沖縄の経済は着実に成長している。しかし一方で、財政に依存した構造によって自立経済が図れない点、ｂ．県経済に占める基地経済の割合が減る一方で、ｃ．基地の整理縮小が、なかなか進まない点など、数多くの問題を抱えている。

問１　空欄Ａにあてはまる名称を記号で答えてください。**(24)**

ア　海邦国体　　イ　海洋国体　　ウ　若夏国体　　エ　盛夏国体

問２　空欄Ｂにあてはまる名称を記号で答えてください。**(25)**

ア　沖縄国際映画祭　　イ　沖縄国際海洋博覧会

ウ　主要国首脳会議　　エ　ナナサンマル

問３　空欄Ｃあてはまる名称を記号で答えてください。**(26)**

ア　ＳＡＣＯ　　イ　Ｒｙｃｏｍ　　ウ　ＣＴＳ　　エ　ＵＳＣＡＲ

問４　下線部ａについて、当時の県知事を記号で答えてください。**(27)**

ア　屋良朝苗　　イ　平良幸市　　ウ　西銘順治　　エ　大田昌秀

問５　下線部ｂについて、2013年現在の沖縄県民総所得の中に占める基地関連収入の割合を記号で答えてください。**(28)**

ア　約１％　　イ　約５％　　ウ　約１０％　　エ　約１５％

問６　下線部ｃについて、2015年現在の沖縄島の中に占める米軍施設面積の割合を記号で答えてください（日本全体の中に占める米軍施設面積の割合は、0.27％です）。**(29)**

ア　約６％　　イ　約１２％　　ウ　約１８％　　エ　約２４％

6　次の八重山の歌謡の一部を読み、各設問に答えてください。

a．網張(アンパル)ぬ　A．目高蟹(ミダガーマ)でんど(ドゥ)　　＜囃子省略＞
潮(ス)ぬ干(ピ)しゃ　下(シィム)ぬ家(ヤー)かい　　＜囃子省略＞
下(シィム)ぬ家(ヤー)や　瓦葺(カーラフキィ)きでんど(ドゥ)　　＜囃子省略＞
　— 中略 —
b．木綿引(ムミンビキィ)き蟹(カン)や　B．三線人数(サンシンニンジュ)　　＜囃子省略＞
　— 中略 —
c．舟浦蟹(フノーラカン)や　膳配人数(ジンパイニンジュ)　　＜囃子省略＞
d．走馬蟹(パルマヤーカン)や　給仕人数(キュージィニンジュ)　　＜囃子省略＞

問１　この歌謡の様式は八重山のユンタと呼ばれるものですが、宮古地方の歌謡を表すものとして適当な語句を、記号で答えてください。**(30)**

ア　アヤグ　　イ　オモロ　　ウ　ドゥナンスンカニ　　エ　トゥバラーマ

問２　2005年、ラムサール条約登録湿地として八重山のある地域が登録されましたが、その登録地を示すものとして最も適切な語句を下線部ａ～ｄから選び、記号で答えてください。**(31)**

問３　上に掲げた写真は下線部Ａのカニであるが、このカニの和名を、カタカナで答えてください。**(32)**

問４　下線部Ｂの語句と最も関係の深い人物は誰か、記号で答えてください。**(33)**

ア　佐渡山安健　　イ　知念績高　　ウ　又吉昌常　　エ　摩文仁朝信

7　次のＡ、Ｂの文は、近代の教育機関誌『琉球教育』に掲載された記事（「本会々員原國政勝氏の奇難」）を抜粋し、句読点を施すなどしたものである。これを読み、各設問に答えてください。

Ａ　是(こ)れ本県首里人士支那(しな)崇拝者の所為(しょい)に出づ。本県は五百年前の頃より支那朱明(しゅめい)の冊封を受け＜中略＞今日に在りても我が政令に反目して故(ことさ)らに清暦光緒(しんれきこうちょ)を用ひ＜中略＞今ａ．明治二十九年二月十三日、我が陰暦十二月二十九日、即(すなわ)ち清暦元旦を以て新年の賀礼を行ひ＜中略＞之を名づけてｂ．二十九日党、又ｃ．事大党といふ

問１　下線部ａは西暦では1896年になりますが、これは沖縄県が設置されてから何年後にあたるか答えてください。**(34)**

問２　下線部ｂおよびｃは頑固党とも呼ばれますが、この党派と対立するものとして適当な語句を、記号で答えてください。**(35)**

ア　華夷化党　　イ　改化党　　ウ　開化党　　エ　開花党

Ｂ　該党派の者、即(すなわ)ち首里人士の一部は例に依(よ)り褒衣博帯(ほういはくたい)、ａ．蛇髻金簪して首里小学の門前を過ぐ＜中略＞示威的運動の意を以(も)つてｂ．大道(ウフミチ)を横行し、同日即ち二十七日午前十一時を以(もっ)て復(ま)た小学の門前を過ぎ、生徒の嘲笑を受くると同時に其中数十人の壮者は予期の如く傍若無人の挙動を以て遂(つい)に教員原國氏に対し、拳骨(げんこつ)を以て日傘を以て暴挙乱打を加へ、傷を付け血を流すの惨状を呈す＜中略＞本県の拳骨を弄(ろう)するは他府県に於ける撃剣(げきけん)槍術なり。一名ｃ．唐手と称す

問３　下線部ａのうち「金簪」はいわゆるジーファーのことをさしています。「蛇髻」は近世琉球での成人男性の髪型をさしていますが、沖縄語でこのことを何というのか、カタカナで答えてください。**(36)**

問４　下線部ｂはいわゆる綾門（アヤジョウ）大道のことですが、この大道にあった門として正しい組み合わせはどれか、記号で答えてください。**(37)**

ア　守礼門―広福門　　　イ　守礼門―木曳門

ウ　守礼門―中山門　　　エ　守礼門―奉神門

問５　下線部ｃは現在では普通「空手」と表記されますが、沖縄県が定めている「空手の日」はいつなのか、記号で答えてください。**(38)**

ア　４月28日　　イ　６月23日　　ウ　８月15日　　エ　10月25日

8　地域のできごとや地理に関する問いに答えてください。

問１　次のＡ～Ｅのできごとに関係する市町村名を、語群から選んで答えてください。

Ａ．2015年、住民投票がおこなわれ、新庁舎を自治体の地域内に置く案が多数となった。**(39)**

Ｂ．2015年、尚円王生誕600年祭が開催された。**(40)**

Ｃ．2016年、39年ぶりに、みぞれ(観測上は雪)が観測された。**(41)**

Ｄ．2016年、陸上自衛隊沿岸監視部隊が発足し、復帰後としては初の基地新設となった。**(42)**

Ｅ．2016年、同性カップルの結婚を認定するパートナーシップ制度を導入した。**(43)**

語群〔　久米島町　　伊是名村　　那覇市　　与那国町　　竹富町　〕

問２　地名とそこでかつて産出した鉱物の組み合わせとして、適当なものを記号で答えてください。**(44)**

ａ　硫黄鳥島 → 銅鉱　　　ｂ　西表島 → 硫黄

ｃ　沖大東島 → リン鉱　　ｄ　名護市伊差川 → 石炭

9　各設問に記号で答えてください。

問１　2015年８月に那覇空港近くにオープンした商業施設ウミカジテラスは、どの島に建設されましたか。**(45)**

ａ　古宇利島　　ｂ　瀬底島　　ｃ　奥武島　　ｄ　瀬長島

問２　2015年６月、大場政夫とともに国際ボクシング殿堂入りした沖縄県出身の元世界チャンピオンは誰ですか。**(46)**

ａ　具志堅用高　　ｂ　平仲信明　　ｃ　渡嘉敷勝男　　ｄ　浜田剛史

問３　父方の祖父母が沖縄出身である、現ハワイ州知事は誰ですか。**(47)**

ａ　デービット・ユタカ・イゲ　　ｂ　アルベルト・フジモリ

ｃ　ダニエル・イノウエ　　　　　ｄ　アラン・アラカワ

問４　プロバスケットボールＴＫｂｊリーグの最後の王者に輝いた「琉球ゴールデンキングス」のホームタウンはどこですか。**(48)**

ａ　那覇市　　ｂ　宜野湾市　　ｃ　沖縄市　　ｄ　北谷町

問５　父親が名護市出身のお笑いコンビ・ピースの又吉直樹が書いた小説『火花』がとった賞は何ですか。**(49)**

ａ　直木賞　　ｂ　芥川賞　　ｃ　高村光太郎賞　　ｄ　太宰治賞

問６　2015年の第39回全国高等学校総合文化祭（滋賀びわこ総文）で、郷土芸能・伝承芸能部門で文化庁長官賞優秀賞をとった学校はどこですか。**(50)**

ａ　八重山農林高校　　ｂ　南風原高校　　ｃ　久米島高校　　ｄ　名護高校

2016年度　沖縄歴史検定解答用紙

年　　月　　日実施

1	1		4	19		7	37	
	2			20			38	
	3			21		8	39	
	4			22			40	
	5			23			41	
2	6		5	24			42	
	7			25			43	
	8			26			44	
	9			27		9	45	
3	10			28			46	
	11			29			47	
	12		6	30			48	
	13			31			49	
4	14			32			50	
	15			33				
	16		7	34	年後			
	17			35				
	18			36				

点

氏名：

2017年度
沖縄歴史検定
（問題用紙）

解答を始める前に読んでください。

（1） 制限時間は５０分とします。
（2） 検定を受けながら沖縄に関する学習が深められるよう、作問を工夫しました。そのため、選択肢の解答も記号ではなく、そのまま用語を書き入れて答える問題もあります。問いをよく読んで答えてください。
（3） 解答はすべて解答用紙に記入してください。なお、配点はすべて２点とし、満点は１００点です。
（4） 等級の認定は次のとおりとします。

王 子 級（１級）―１００点
按 司 級（１級）― ９０点台最高得点者
親 方 級（１級）― ９０点以上
親雲上級（２級）― ７８～８８点
里之子級（３級）― ６４点～７６点

沖縄歴史教育研究会作成

2017年度　沖縄歴史検定

2017年８月27日　実施

1　**次の文を読み、各設問に答えてください。**

首里城からは、a．貝塚時代前期の土器などが見つかっていることから、古い時代からこの地域で人の活動があったことが考えられている。

首里城が造られた正確な年代は不明であるが、b．グスク時代にあたる14世紀半ばには造られていたと考えられている。現時点で分かっている首里城を拠点とした初期の人物は、1372年に明に入貢した（　A　）である。その後、首里城を拠点にした（　B　）が、1429年に沖縄島を統一した。

首里城正殿の欄干（らんかん）に彫られていたとされる尚真の事績には、「首里城一帯を整備し、緑豊かな王都づくりをめざした」とある。c．「琉球王国のグスク及び関連遺産群」のひとつとして世界遺産に登録されている玉陵も尚真のころ造られたものである。

問１　下線部aについて、琉球列島の先史時代を述べたもので適当でないのは次のどれですか。記号で答えてください。**（1）**

ア　石垣島の白保竿根田原洞穴遺跡では、旧石器時代にあたる時期の人骨がみつかっている

イ　現時点で確認されている沖縄諸島最古の土器は、大洞式土器とよばれる土器である

ウ　弥生時代にあたる貝塚時代後期には、「貝の道」を通じて沖縄と九州で交易が行われた

エ　宮古・八重山諸島に特徴的なシャコガイ製斧は、南方地域の影響を受けているとされる

問２　下線部bについて、この時代を特徴づけるものとしてカムィヤキという焼き物がある。この焼き物が生産された島はどこですか。記号で答えてください。**（2）**

ア　種子島　　イ　徳之島　　ウ　喜界島　　エ　与論島

問３　空欄A・Bに当てはまる人物として適当な組み合わせは、ア～エのどれですか。記号で答えてください。**（3）**

ア　A：察度　B：尚巴志　　イ　A：舜天　B：察度

ウ　A：英祖　B：舜天　　エ　A：尚巴志　B：英祖

問４　下線部cについて、玉陵以外で尚真と直接関わる世界遺産はどれですか。記号で答えてください。**（4）**

ア　今帰仁城跡　　イ　座喜味城跡

ウ　識名園　　エ　園比屋武御嶽石門

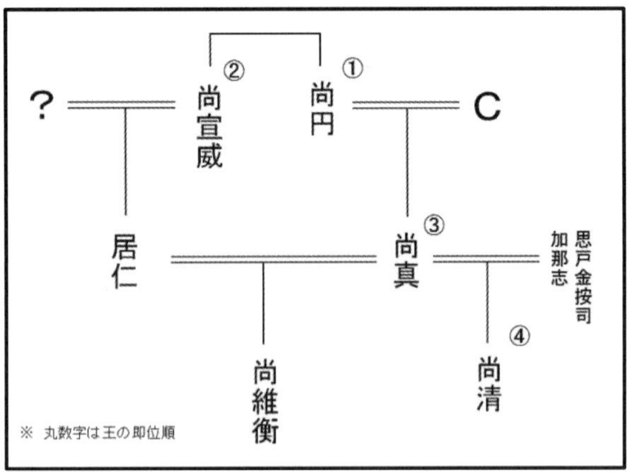

問５　尚真の即位には、母（右の系図中C）が大きく関わったとされる。この人物として適当なのは次のだれですか。記号で答えてください。**（5）**

ア　百度踏揚　　イ　君南風

ウ　オギヤカ　　エ　サンアイイソバ

問６　次のうち、尚真の時代のできごととして適当なのはどれですか。記号で答えてください。**（6）**

ア　護佐丸・阿麻和利の乱がおこった　　イ　八重山でオヤケアカハチの蜂起がおこった

ウ　志魯・布里の乱で首里城が炎上した　　エ　王府内の対立で牧志・恩河事件がおこった

2　**次の文を読み、各設問に答えてください。**

琉球から日本にもたらされたものの１つに甘藷（イモ）がある。甘藷は、1605年に野國總管が中国から苗を持ち帰り、郷里の（　A　）間切にひろめたのがはじめで、それを（　B　）が普及させたといわれている。台風や干ばつに強く、多くの収穫が見込める甘藷は、不作に苦しむ人々を救っただけでなく、後にa. 薩摩を経て日本各地に伝わった。

1609年、薩摩の侵攻を受けて連行された尚寧とともに薩摩に渡った（B）であったが、琉球に帰国後、

甘藷の普及に更に力を入れただけでなく、薩摩から持ち帰った（　C　）の種子を栽培し、紡いだ糸から布を織らせ、その製法をひろめていった。

甘藷や（C）布の普及などの功績が認められた（B）は、野國總管らとともに「沖縄の産業の恩人」と称えられた。

問１　空欄Aにあてはまる間切名を漢字二文字で答えてください。**(7)**

問２　空欄Bにあてはまる人物名を答えてください。**(8)**

問３　下線部aについて、甘藷を日本各地に普及させた人物を記号で答えてください。**(9)**

ア　新井白石　　イ　工藤平助　　ウ　青木昆陽　　エ　二宮尊徳

問４　空欄Cにあてはまる語句を答えてください。**(10)**

問５　琉球から日本にもたらされたものとして、薬用・染料として用いられたある植物があげられる。漬物の「たくあん」にも使われたある植物とは何か、答えてください。**(11)**

3　近世の八重山に関する文を読み、各設問に答えてください。

琉球国内の行政区画は、現在の市町村と字に相当する間切と村に分けられ、管理機関として間切には番所が、村には村屋が設置されていた。一方、宮古・八重山には、（　A　）とよばれる役所が設置され、首里王府から派遣された在番が政務を統括した。a．八重山は三つの間切に分けられ、各間切のトップである頭を主にした地方役人の合議によって政治が行われ、それを監視・指導するのが在番の役目であった。在番制度は首里王府による直接統治を意図するものであったが、それだけでは不十分だったため、検使とよばれる行政監察官が必要に応じて派遣された。検使によって現地の視察や問題点の把握、改革事項の検討がなされ、王府に報告される仕組みとなっており、その報告書が規模帳等としてまとめられ八重山に布達されていた。

現存する規模帳等の他、様々な由来や自然災害の被害状況が記された史料等から、近世の八重山の状況を垣間見ることができる。一例として、1771年に発生した自然災害に対する報告書によると、b.発生した大地震の影響で大津波がおしよせ、在番や頭をはじめとして9000人以上の人々が亡くなった、との報告がなされている。「明和の大津波」として知られるこの災害は、「琉球史上最大の自然災害」ともいわれている。

問１　空欄Aに当てはまるものを、記号で答えてください。**(12)**

ア　平等所（ひらじょ）　　イ　蔵元（くらもと）　　ウ　銭蔵（ぜにぐら）　　エ　島庁（とうちょう）

問２　下線部aについて、八重山の三間切として正しい組み合わせを記号で答えてください。**(13)**

ア　大浜（ホーマ）―仲里（ナカザトゥ）―宮良（メーラ）　　イ　新川（アラカー）―石垣（イシャナギィ）―登野城（トゥヌスク）

ウ　石垣（イシャナギィ）―大浜（ホーマ）―宮良（メーラ）　　エ　石垣（イシャナギィ）―大浜（ホーマ）―平良（ピィサラ）

問３　下線部bの大津波について、当時の琉球で使用されていた中国年号を用いた呼称はどれですか、記号で答えてください。**(14)**

ア　万暦16年の大津波　　イ　乾隆16年の大津波

ウ　万暦36年の大津波　　エ　乾隆36年の大津波

問４　八重山の新城島では、ある動物の肉が税として課せられていましたが、方言でザンとも呼ばれるその動物名をカタカナで答えてください。**(15)**

4　近代沖縄の状況下で生まれた次の作品を読み、各設問に答えてください。

「会話」　　　　※　／は改行を示している

お国は？　と女が言つた／さて　僕の国はどこなんだか　とにかく僕は煙草に火をつけるんだが　a．刺青と蛇皮線などの聯想を染めて　図案のやうな風俗をしてゐるあの僕の国か？／ずっとむかう／／ずつとむかうとは？　と女が言つた／（略）／南方／／南方とは？　と女が言つた／（略）／亜熱帯／／アネッタイ！と女は言つた／亜熱帯なんだが　僕の女よ　目の前に見える　亜熱帯が見えないのか！　b．この僕のやうに日本語の通じる日本人が　即ち亜熱帯に生まれた僕らなんだと僕はおもふんだが　酋長だのc．土人だの唐手だの泡盛だのの同義語でも眺めるかのやうに、世間のd．偏見達が眺めてゐるあの僕の国か！／赤道直下のあの近所

問１　上記作品は、東京で貧乏生活を送りながらもユーモアに富んだ独特の作風の詩を生み続けた沖縄出身者の作品ですが、その作者はだれですか。記号で答えてください。**(16)**

ア　世礼国男　　イ　山之口貘　　ウ　津嘉山一穂　　エ　伊波南哲

問２　下線部ａについて、沖縄では成人女性は手の甲に入れ墨をする風習がありましたが、それを何といいますか。語群から選び答えてください。**(17)**

語群〔　カタカシラ　　ハジチ　　オハグロ　　タンカー　〕

問３　下線部ｂについて、沖縄では沖縄口（ウチナーグチ）をやめ標準語を話そうという運動（標準語励行運動）が起こりましたが、その運動を批判して「方言論争」を引き起こした人物はだれですか。記号で答えてください。**(18)**

ア　柳宗悦　　イ　笹森儀助　　ウ　金城次郎　　エ　山田實

問４　下線部ｃについて、土人とは「①原住民　②まだ原始的生活をしている土着民」という意味です(旺文社『国語辞典　改訂新版』より)。1903年に琉球人やアイヌ人、朝鮮人など「土人」とみなされた人々を展示する見世物小屋ができましたが、その名前として適当なものはどれですか。記号で答えてください。**(19)**

ア　人類館　　イ　人間館　　ウ　民俗館　　エ　民族館

問５　下線部ｄについて、当時沖縄出身者は日本と異なる文化・風習などのため、差別の対象だった。そんな中、小説『滅びゆく琉球女の手記』を著し、後に女性の視点で沖縄のアイデンティティを主張した人物はだれですか。記号で答えてください。**(20)**

ア　上江洲トシ　　イ　新垣美登子　　ウ　久志芙沙子　　エ　崎山多美

5　下の年表は沖縄戦の推移を表したものです。空欄に当てはまる適当な文を選び、記号で答えてください。

西暦年月日	出来事
１９４４年　３月２２日	南西諸島防衛のために第３２軍が創設される。
８月２２日	**(21)**
１０月１０日	那覇市を中心に大規模な空襲をうける。
１９４５年　３月２６日	**(22)**
４月　８日	嘉数高地で激しい戦闘が始まる。
４月２６日	前田高地（ハクソーリッジ）で激しい戦闘が始まる。
５月１２日	シュガーローフヒル（地元名：慶良間チージ）で激しい戦闘が始まる。
５月２２日	第３２軍司令部が摩文仁へ撤退を決定する。
６月１３日	日本軍の海軍部隊が壊滅する。
６月１８日	アメリカ軍司令官のバックナー中将が戦死。激しい報復攻撃が行われる。
６月２３日	**(23)**
７月　２日	米軍が沖縄攻略作戦（アイスバーグ作戦）の終了を宣言する。
８月１５日	昭和天皇の「玉音放送」で国民に降伏を知らせる。
８月２０日	**(24)**
８月２０日	沖縄諮詢会が発足する。
９月　７日	**(25)**

ア　久米島で、投降をうながした住民が日本軍によって虐殺される。
イ　慶良間諸島にアメリカ軍が上陸。各島で強制集団死がおきる。
ウ　第３２軍司令官の牛島満が自決する。
エ　対馬丸がアメリカ潜水艦の攻撃により沈没する。
オ　南西諸島の日本軍が降伏文書に調印する。

6　**1970年代から1990年代にかけての沖縄の政治の動向に関する文を読み、各設問に答えてください。**

a．沖縄の日本復帰前後という困難な時期に、琉球政府主席・沖縄県知事を務めた屋良朝苗の後、革新県政を引き継いで1976年に沖縄県知事となったのが平良幸市である。平良幸市は、基地問題やb. 海洋博後の経済不況問題に取り組んだが、病気で辞職した。

その後、経済不況に有効な対策を打ち出していないとして革新県政を批判し、中央政権と結びついた経済政策実施を訴えて1978年の沖縄県知事選挙に当選したのがc．西銘順治である。西銘県政の特徴は、d．大規模な地域開発と中央政権と結びついた経済政策や国際交流政策の実施である。その成果もあって経済は着実に成長したもののリゾート開発等による自然破壊が一層進み、一方で基地や平和関連政策は後退した。

そうした県政運営を批判し「反戦平和」「公正公平」な政治を訴えて1990年の県知事選挙に当選したのが（　A　）である。e．（　A　）県政では、基地問題や平和・文化行政に関する政策が推進され、またf．女性副知事を誕生させるなど、女性の地位向上に関する取り組みも実施された。

問１　下線部aについて、沖縄の日本復帰の年月日を答えてください（年は西暦で記入してください）。**(26)**

問２　下線部ｂについて、海洋博開催にあわせてつくられたものは、次のうちどれですか。記号で答えてください。**(27)**

ア　福地ダム　　イ　沖縄自動車道路　　ウ　名護21世紀の森公園　　エ　運天港

問３　下線部ｃの人物について、1978年の県知事選挙立候補時に所属していた政党は、次のうちどれですか。記号で答えてください。**(28)**

ア　自由民主党　　イ　日本社会党　　ウ　社会大衆党　　エ　日本共産党

問４　下線部ｄについて、西銘県政時の地域開発・経済政策に当てはまるものは次のうちどれですか。記号で答えてください。**(29)**

ア　名護市マルチメディア館の建設　　イ　金武湾沖への石油備蓄基地の建設

ウ　沖縄コンベンションセンターの建設　　エ　下地島空港の建設

問５　空欄Aにあてはまる人物は次のうちだれですか。記号で答えてください。**(30)**

ア　大田昌秀　　イ　喜屋武真栄　　ウ　瀬長亀次郎　　エ　伊江朝雄

問６　下線部ｅについて、A県政時の平和・文化行政に当てはまるものは次のどれですか。記号で答えてください。**(31)**

ア　沖縄平和賞の創設　　イ　海邦国体の開催

ウ　沖縄県立芸術大学の建設・開校　　エ「平和の礎」の建立

問７　下線部ｆについて、沖縄県で初の女性副知事となったのは次のうちだれですか。記号で答えてください。**(32)**

ア　東門美津子　　イ　糸数慶子　　ウ　尚弘子　　エ　城間幹子

7　**次に掲げた組踊台本の一部を読み、各設問に答えてください。**

詞

イチヤカリスミヌ　ヤドゥヌヲゥンナ
一夜かりそめの　宿の女、
アクインヌツィナヌ　ハナチハナサラン
悪縁の縄の　はなちはなさらぬ。
ツィーニチュミチトゥ　アトゥカラキーツィキ
終に一道と　跡から追付き、
ツィユヌイヌチヲゥ　トゥラントゥユ
a. 露の命を　とらんとよ。
ユクスイユシヌ　クヌウティラ
行く末吉の　b. この御寺
タヌマバツィーニ　ワガイヌチ
頼まば終に　我が命、
タンディウタスィキ　ワガイヌチ
たんで御助け　我が命

＜中略＞

c. 詞
d. 七つ重べたる（ナナツィカサビタル）　年ごろの里に、（トゥシグルヌサトゥニ）
思事のあてど（ウムクトゥヌアティドゥ）　とまいてきちやる。（トゥメティキチャル）

問１　下線部aにある「露」の語句は「はかない」という意味で用いられていますが、琉歌「けふのほこらしやや（キュヌフクラシャヤ）　なをにぎやなたてる（ナヲゥニジャナタティル）　つぼでをる花の（ツィブディヲゥルハナヌ）　露きやたごと（ツィユチャタグトゥ）」の「露」はどのようなたとえに用いられていますか。記号で答えてください。**(33)**

ア　面白み　　イ　寒気　　ウ　激しさ　　エ　喜び

問２　下線部bの寺院の名称として適当なものはどれか、記号で答えてください。**(34)**

ア　円覚寺　　イ　極楽寺　　ウ　桃林寺　　エ　遍照寺

問３　下線部c以下の詞章はどのような人間関係におけるものか、記号で答えてください。**(35)**

ア　女性から女性への思いが示されている
イ　女性から男性への思いが示されている
ウ　男性から女性への思いが示されている
エ　男性から男性への思いが示されている

問４　下線部dは「年ごろの里」の年齢であるが、正しいものを全て記号で答えてください（完全解答）。**(36)**

ア　数え年で14歳はあてはまる　　イ　満年齢で12歳はあてはまる
ウ　満年齢で13歳はあてはまる　　エ　満年齢で14歳はあてはまる

問５　この組踊作品の作品名は何か、記号で答えてください。**(37)**

ア

イ

ウ

エ

8　**地図を見て、各設問に答えてください。**

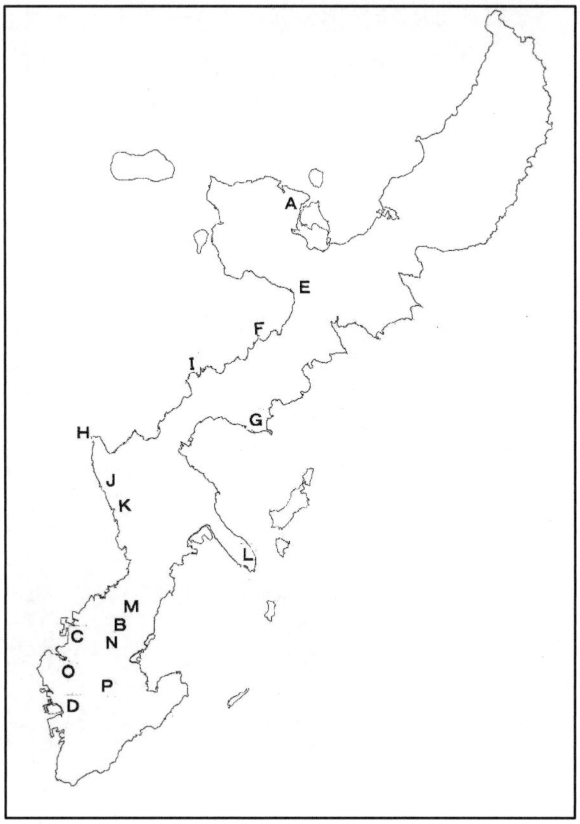

問１　図中のＡ～Ｄは、沖縄の歴史に関わる碑がある場所を示している。Ａ地点にあるのは何の碑か、下記の記号で答えてください。**(38)**

ア　経塚の碑
イ「源為朝公上陸之趾」の碑
ウ「ペルリ提督上陸之地」の碑
エ　ジョン万次郎記念碑

問２　図中のE～Hは、沖縄の政治に関わる人物の像がある場所を示している。Ｆ地点にあるのはどの人物の像か、記号で答えてください。**(39)**

ア　程順則　　イ　泰期
ウ　小渕恵三　　エ　松岡政保

問３　図中のＩ～Ｌは、歌碑がある場所を示している。Ｋ地点にあるのは沖縄のどの人物に関わる碑か、記号で答えてください。**(40)**

ア　吉屋チル　　イ　恩納ナビ
ウ　平敷屋朝敏　　エ　赤犬子

問４　図中のM～Ｐは、沖縄戦に関わる場所を示している。Ｐ地点は何という戦跡か、記号で答えてください。**(41)**

ア　旧海軍司令部壕　　イ　南風原陸軍病院壕
ウ　シュガーローフの戦跡　　エ　嘉数高台の戦跡

問５　沖縄島内にある学校名について、適当でないのはどれですか。記号で答えてください。**(42)**

ア　沖縄島の最北端にある小学校は国頭村立雪国小学校である。
イ　那覇市立安岡中学校は、連接する地域名である、安謝と岡野の頭文字から名付けられた。
ウ　金武町立嘉芸小学校は、屋嘉と伊芸の地域名から一文字とって名付けられた。
エ　宮古島市立鏡原（かがみはら）中学校があるが、沖縄島には那覇市立鏡原（きょうはら）中学校もある。

9　**各設問に記号で答えてください。**

問１　2017年４月にリニューアルした沖縄県立博物館・美術館の展示室で、ある鐘の音を聞くことができるようになりました。「万国津梁の鐘」ともよばれるその鐘はどれですか。**(43)**

a　旧首里城正殿鐘　　b　旧波之上宮朝鮮鐘
c　旧大聖禅寺鐘　　d　旧円覚寺楼鐘

問２　2016年９月に、国内で33番目、沖縄県内では３番目の国立公園が誕生しました。それはどこですか。**(44)**

a　西表国立公園　　b　八重干瀬国立公園
c　慶良間諸島国立公園　　d　やんばる国立公園

問３　2016年のリオデジャネイロ・パラリンピックで初の銅メダルを獲得した仲里進選手に沖縄県で５人目の県民栄誉賞が贈られたました。仲里選手の活躍した競技は何ですか。**(45)**

a　車いすテニス　　b　ウィルチェアー（車いす）ラグビー
c　車いすフェンシング　　d　車いすバスケットボール

問４　2017年５月20日にボクシング評議会（ＷＢＣ）フライ級タイトルマッチで、フアン・エルナンデス（メキシコ）を破り、世界チャンピオンになった県選手は誰ですか。**(46)**

a　比嘉栄昇　　b　渡嘉敷勝男　　c　比嘉大吾　　d　名護明彦

問５　2017年公開のディズニー映画で、沖縄市出身の屋比久知奈（やびくともな）さんが主人公の声優に抜擢されました。その映画のタイトルはどれですか。**(47)**

a　アナと雪の女王　　b　塔の上のラプンツェル

c　美女と野獣　　d　モアナと伝説の海。

問６　選挙権が18歳以上に変更されて、初めての選挙であった2016年7月の参議院議員選挙で、沖縄県の10代（18～19歳）の投票率はどのくらいでしたか。**(48)**

a　約８０％　　b　約６５％　　c　約４５％　　d　約２０％

問７　2017年３月、豊見城市に開館した施設で、人気音楽グループＥＸＩＬＥのボーカル・ＴＡＫＡＨＩＲＯが書いた自筆の書が掲げられている場所はどこですか。**(49)**

a　沖縄県立武道館　　b　ミュージックタウン音市場

c　沖縄空手会館　　d　ちゅら海水族館

問８　2016年、第６回世界のウチナーンチュ大会が開催されました。この大会で「世界のウチナーンチュの日」を制定していますが、それはいつですか。**(50)**

a　８月３０日　　b　１０月３０日　　c　１２月３０日　　d　３月３０日

2017年度　沖縄歴史検定解答用紙

2017年8月27日実施

1	1		4	19		7	37	
	2			20		8	38	
	3		5	21			39	
	4			22			40	
	5			23			41	
	6			24			42	
2	7	間切		25		9	43	
	8		6	26	年　月　日		44	
	9			27			45	
	10			28			46	
	11			29			47	
3	12			30			48	
	13			31			49	
	14			32			50	
	15		7	33				
4	16			34				
	17			35				
	18			36				

点

氏名:

2018年度

沖縄歴史検定

（問題用紙）

解答を始める前に読んでください。

（1）　制限時間は５０分とします。

（2）　検定を受けながら沖縄に関する学習が深められるよう、作問を工夫しました。そのため、選択肢の解答も記号ではなく、そのまま用語を書き入れて答える問題もあります。問いをよく読んで答えてください。

（3）　解答はすべて解答用紙に記入してください。なお、配点はすべて２点とし、満点は１００点です。

（4）　等級の認定は次のとおりとします。

王子級（1級）―１００点
按司級（1級）―　９０点代最高得点者
親方級（1級）―　９０点以上
親雲上級（2級）―　７８～８８点
里之子級（3級）―　６４～７６点

沖縄歴史教育研究会作成

2018年度　沖縄歴史検定

2018年 9月 2日　実施

1　次の文を読み、各設問に答えてください。

今から70年前の1948 年、戦後の食糧難の沖縄にハワイからブタが贈られた。沖縄の食生活にブタは欠かせないことを象徴するできごとであるが、沖縄とブタの関わりはいつからだろうか。

ブタが琉球列島に持ち込まれたことが確認できるのは b.グスク時代で、14世紀前半とされる。それ以前の貝塚時代の遺跡からはイノシシの a.骨がみつかっていることから、貝塚時代はイノシシを食べていたことが分かる。

c.近世になるとブタの飼育が広がり、d.中国からの冊封使の歓待に、大量のブタ肉が用いられた。

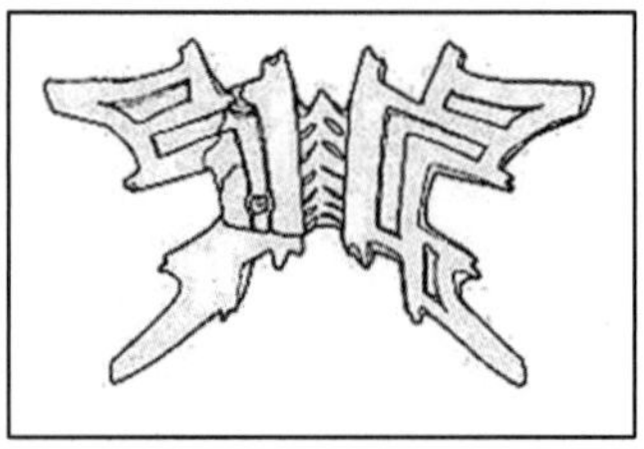

問１　下線部 a について、貝塚時代には動物の骨を使いさまざまな道具を作っています。ジュゴンの骨で作った、呪術的な意味をもっていたと考えられている右図の道具は、ある生き物をかたどっているとされます。その生き物とは何ですか。記号で答えてください。**（1）**

ア　チョウチョ　　イ　トンボ　　ウ　ウミガメ　　エ　ヒトデ

問２　下線部 b について、琉球列島はグスク時代にひとつの文化圏にまとまったとされるが、それを示す遺物として適当なのはどれですか。記号で答えてください。**（2）**

ア　爪形文土器　　イ　貝輪　　ウ　シャコガイ製斧　　エ　カムィヤキ

問３　下線部 d について、初めて明から冊封を受けたとされる王はだれですか。記号で答えてください。**（3）**

ア　舜天　　イ　武寧　　ウ　英祖　　エ　尚泰久

問４　下線部 c について、近世になるとブタを飼う施設が家の敷地内につくられた。その施設を何といいますか。記号で答えてください。**（4）**

ア　ヒンプン　　イ　イシガントウ　　ウ　フール　　エ　メーヌヤー

問５　下線部 d について、沖縄の世界遺産（琉球王国のグスク及び関連遺産群）には、冊封使の歓待に関わったものがある。それとして適当なのはどれですか。記号で答えてください。**（5）**

ア　斎場御嶽　　イ　識名園　　ウ　天使館　　エ　座喜味城跡

2　近世琉球について、次の設問に答えてください。

琉球・沖縄史をあらわす時代区分によれば、a.慶長14年に薩摩藩島津氏による侵攻を受けてから明治政府による「琉球処分」までの期間を「近世琉球」という。近世における琉球国の政治体制については、「中国との冊封・朝貢関係を維持した朝貢国であると同時に、幕藩制国家の従属国でもあるという二重の外交的関係の下に置かれた」との理解がなされている。中国と日本の間にあって、そのどちらにも吸収されない、自立した国家を目指したのが「近世琉球」という時代であった。

また、b.『中山世鑑』をはじめとする様々な歴史書や家譜の編集、組踊や古典舞踊など、近世琉球において展開されたこれらの文化は、自立した国家を目指すなかで創出ないし大成されたものであった。

19世紀に入ると、ペリー艦隊の来琉にみられるように、多くの異国船が琉球を訪れるようになる。「和親・通商・布教」などを目的に来琉した異国船に対して、架空の王府組織をつくるなど独自の外交戦術で対応したものの、アメリカやオランダなどと修好条約を結ぶ結果となった。同じ時期の日本は、c.アメリカと日米修好通商条約を結んだほか、イギリスやフランスなどとも同様の条約を結んだことで「鎖国」政策に終わりをつげ、近代国家形成への歩みを進めたが、その道のりには d.琉球国の解体も含まれていた。

問１　下線部aについて、島津氏が琉球へ侵攻した慶長14年を西暦で答えてください。**(6)**

問２　下線部bについて、『中山世鑑』を編集した人物を記号で答えてください。**(7)**

ア　儀間真常　　イ　羽地朝秀　　ウ　牧志朝忠　　エ　平敷屋朝敏

問３　下線部cについて、右の写真は、1851年、ある人物がアメリカから日本に帰る途中に大度海岸（糸満市）に上陸したことを記念して建てられた記念碑です。日米修好通商条約の批准書交換の使節通訳としてアメリカに派遣されたことでも知られるこの人物を記号で答えてください。**(8)**

ア　勝海舟　　イ　伊東マンショ　　ウ　ジョン万次郎　　エ　間宮林蔵

問４　下線部dについて、琉球国が解体され、沖縄県が設置された時期の国王を記号で答えてください。**(9)**

ア　尚真　　イ　尚寧　　ウ　尚育　　エ　尚泰

3　近世の宮古に関する文を読み、各設問に答えてください。

薩摩藩島津氏の軍勢によって攻略されて以降、琉球国は薩摩藩の支配下に置かれ、その影響は宮古諸島にも及ぶようになった。

1630年頃から首里王府による宮古・八重山地域における統治方法の転換が行われ、宮古では1629年から（　A　）制という直接統治の制度が開始された。a. 島役人の最高職である頭や首里大屋子といった島役人を統括するのが、首里王府から派遣された（A）の役目であった。しかし、それだけでは不十分だったため、検使と呼ばれる行政監察官が必要に応じて宮古に派遣された。

b.（A）が任期中に書きとめた記録や、検使らの視察結果をもとにその対処策等がまとめられた「規模帳（きもちょう）」等の史料から当時の宮古の様子を垣間見ることができる。

問１　空欄Aにあてはまるものを、記号で答えてください。**(10)**

ア　蔵元　　イ　宮古蔵　　ウ　地頭代　　エ　在番

問２　下線部aについて、宮古は３つの間切に分けられ、各間切に配された３人の頭の合議によって政務が行われました。宮古におかれた３つの間切の組み合わせとして正しい組み合わせを記号で答えてください。**(11)**

ア　平良（ピィサラ）－伊良部（イラウ）－砂川（ウルカ）　　イ　下地（スムズ）－砂川（ウルカ）－多良間（タラマ）

ウ　砂川（ウルカ）－平良（ピィサラ）－下地（スムズ）　　エ　平良（ピィサラ）－大浜（ホーマ）－下地（スムズ）

問３　下線部bの記録によると、乾隆36（1771）年に宮古・八重山地域をある災害が襲っています。その災害とは何ですか、記号で答えてください。**(12)**

ア　暴風　　イ　津波　　ウ　干ばつ　　エ　火災

問４　下線部bの記録には、異国船が多良間島や宮古島に漂着した記録が残されています。右の写真は、1873年に宮国村沖で座礁したロベルトソン号の乗組員を地元の人々が救助したことに対して、当時の皇帝ヴィルヘルム１世が、救助活動への感謝を込めて贈ったとされる記念碑です。この記念碑はどの国から贈られたか、記号で答えてください。**(13)**

ア　ドイツ　　イ　オランダ　　ウ　フランス　　エ　ロシア

問５　1871年、那覇に年貢を運んだ帰りに遭難した宮古船がある地域に漂着し、乗組員54人が地元の住民に殺害される事件が起こりました。宮古船が漂着した地域はどこですか、右の地図から記号で答えてください。**(14)**

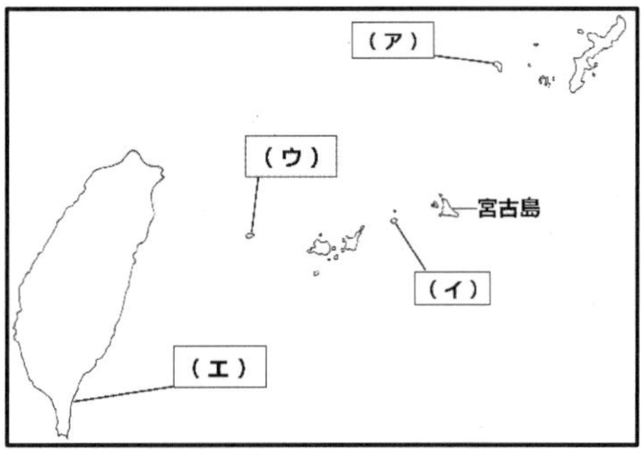

４　屋宜さん と比謝さん が近代沖縄の教育について会話をしています。この会話文を読んで、各設問に答えてください。

右の写真の建物は、（　Ａ　）というものだよ。戦前、この中にはａ．教育勅語と御真影（天皇と皇后の写真）が納められていたんだ。

沖縄県尋常師範学校に御真影が「下賜」されたのは、全国の公立学校の中でも早い方なんだよね。それはどうしてだったの？

明治維新がはじまったとき、沖縄は琉球国が続いていた。ｂ．琉球国が廃止されて沖縄県が設置されるのは、明治維新が始まった年から１１年後のことなんだ。新しく日本に編入された沖縄の人々に、天皇の「ありがたさ」を教えることは重要だと思われたんだ。

天皇への忠誠心を高めるために御真影が使われたんだね。
じゃあすぐに日本と同じような文化や社会になっていったんだね？

そう簡単ではなかったんだ。新聞などでは、さかんに日本との同化が主張されたんだ。その一方で、沖縄の文化をダメだとする考えも出てきたんだ。

それで、沖縄の文化や歴史を見直そうというｃ．沖縄学が生まれたんだね。

天皇への忠誠心を高める教育は、「国語」や言葉の面でも強調された。学校では沖縄の言葉を使うと罰としてｄ．方言札というものを持たされることもあったんだ。
このような教育が積み重なって、戦争のときにも大きな影響がでるんだ。

アジア・太平洋戦争の時は、ｅ．兵隊があこがれの職業だったんだね。沖縄戦では10代の子どもたちも兵隊として動員されたんだよね。

そう。そして多くの犠牲者が出たんだ。右の写真は、（　Ｂ　）という鉄血勤皇隊を慰霊する碑だ。戦争に結びつくような教育はしっかり反省しないといけないね。

問１　空欄Ａに当てはまる建物の名前は何ですか。記号で答えてください。**(15)**
　ア　正倉院　　イ　天妃宮　　ウ　弁財天堂　　エ　奉安殿

問２　下線部ａについての説明として適当なものを選び、記号で答えてください。**(16)**
　ア　教育のしくみに関して帝国議会で制定された法令
　イ　国の教育方針の根本になった天皇の言葉
　ウ　教育の理想を主張した国際連盟が出した宣言
　エ　国の教育理念を示した大日本帝国憲法の条項

問３　下線部ｂがおきた年号を西暦で書いてください。**(17)**

問４　下線部ｃの学問を生み出した人物はだれですか。記号で答えてください。**(18)**
　ア　当山久三　　イ　伊波普猷　　ウ　謝花昇　　エ　太田朝敷

問５　下線部ｄの説明として、適当でないものはどれですか。記号で答えてください。**(19)**

ア　札を持っている生徒は、他の生徒を驚かせてわざと方言を使わせるようなこともした。

イ　ある学校では、方言札による減点で落第生が続出した。

ウ　戦前の教育の反省から、戦後は使われなかった。

エ　琉球国時代の村で使われていた罰札を参考にして作られたとされる。

問６　下線部ｅについて、1943年にガダルカナルの戦いで戦死し、「軍神」として称えられ戦意高揚に利用された人物はだれか、語群から選んで答えてください。**(20)**

語群〔　牛島満　　大田実　　大舛松市　　島田叡　〕

問７　空欄Ｂに当てはまる建物の名前を何というか、語群から選んで答えてください。**(21)**

語群〔　健児の塔　　魂魄の塔　　青丘の塔　　黎明の塔　〕

５　次のＡ・Ｂの文は、戦前発行されていた月刊誌『文化沖縄』第四巻第五号（1943年５月発行）から抜粋し、いわゆる旧漢字を新漢字に改めるなどの作業を施したものである。これらを読み、各設問に答えてください。

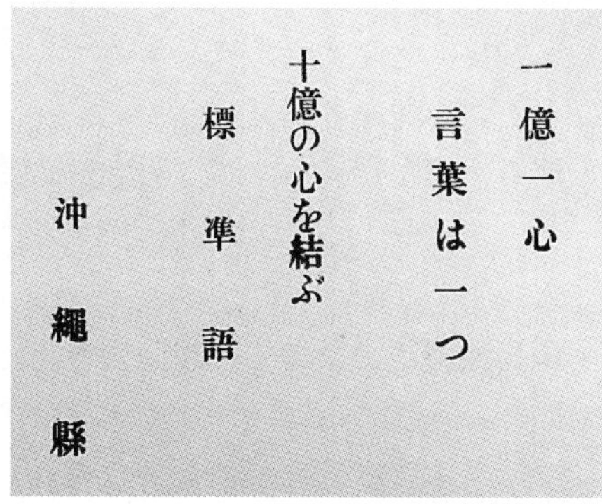

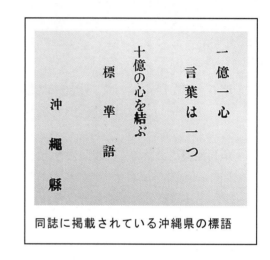

同誌に掲載されている沖縄県の標語

Ａ　a. ニーニーとネーネーと

福地唯義（b. 一高女教諭）

数年前から時々耳にする度にいやな気持になつてゐたのが、去年あたりからはc. 全市に蔓延（まんえん）してしまつた。誰が云（い）ひ出したのか或（あるい）は何処から来たのか知らないが、兄といふ語の愛称らしいが「ニーニー」といふのと、同じく姉といふ語の「ネーネー」といふのがある。これは近頃になつて地方にいつても矢張り耳にするから相当根拠のある言葉かも知れない。併（しか）し少くともこれは（　①　）でないことは事実だ或は何処ぞの地方語にあるのかとも思ふが、よくわからない。ところがこれと同じひゞきをもつたものに、d. オヂー、オバー、オトー、オカーがある。＜中略＞

かうした現状は（　①　）励行運動の上からは若干問題になることゝ思ふ。これは何んといつても（　①　）ではないからだ。＜中略＞若（も）しかしたら沖縄語の連想から派生した新しい流行語ではないかとさへ思はれる＜中略＞老人に聞いたら、子供が使つてゐるから使つたまでだといふ。

Ｂ　編輯後記

新崎生

（　①　）励行は幾度も叫ばれながら、いつもe. 不徹底に終わつた＜中略＞此の上は〝正しき（　①　）、上品なる（　①　）〟が一般に普及せんことを望まざるを得ない。此の意味に於て福地氏が此の頃の俗悪卑劣な流行語に対して是正の鉄槌を振上げたのは意を強ふするに足る。

問１　下線部aの「ニーニー」及び「ネーネー」に相当する沖縄語（主に首里・那覇で使用されるものとする）として、正しい組み合わせはどれか、記号で答えてください。**(22)**

	ニーニーに相当する語		ネーネーに相当する語
ア	シージャ	—	ウットゥ
イ	フッチャー	—	ホンマー
ウ	ヤッチー、アフィー	—	ンミー、アングヮー
エ	ヰキー、ウミキー	—	ウナイ、ウミナイ

問２　下線部bは戦前にあった学校、沖縄県立第一高等女学校のことである。沖縄戦のさい、同校生徒は沖縄県女子師範学校の生徒とともに学徒動員され、女子学徒隊を編成するが、その学徒隊の名称は何というか、ひらがなで答えてください。**(23)**

問３　空欄①に入る適当な語句を、漢字三文字で答えてください。**(24)**

問４　下線部cについて、この時期の沖縄県で市制を敷いているのは那覇市を含めた二市である。もう一つの市はどれか記号で答えてください。**(25)**

ア　石垣市　　イ　首里市　　ウ　名護市　　エ　真和志市

問５　下線部dの「オヂー」及び「オバー」に相当する沖縄語（主に首里・那覇で使用されるものとする）として、正しい組み合わせはどれか、記号で答えてください。**(26)**

	オヂーに相当する語		オバーに相当する語
ア	ウットゥヰキー	—	ウットゥナイ
イ	ターリー、シュー	—	アヤー、アンマー
ウ	タンメー、ウシュメー	—	ンメー、ハンシー、ハーメー
エ	ヰキガングヮ	—	ヰナグングヮ

問６　下線部eについて、明治30年代以降のいわゆる風俗改良運動の中でも不徹底で、なかなか改まらなかった風習に女性の手に施す入れ墨があった。この入れ墨を何というか、カタカナで答えてください。**(27)**

6　現代沖縄について、各設問に答えてください。

問１　沖縄の日本復帰後の事業として、1978年７月30日にあることが行われました。「ナナサンマル」とよばれるこの事業で行われたことは何ですか。記号で答えてください。**(28)**

ア　ドルから円への通貨切り替え　　イ　交通方法（車両の右側通行）の変更

ウ　若夏国体の開催　　エ　沖縄国際海洋博覧会の開催

問２　2008年、教科書から「ある記述」を削除するという教科書検定意見が出された。それに対して2009年9月29日に検定意見撤回を求める県民大会が開かれた。「ある記述」どのようなものだったでしょうか。適当なものを選び、記号で答えてください。**(29)**

ア　沖縄戦にも多くの朝鮮人従軍慰安婦が動員された。

イ　沖縄戦の最中に、アメリカ軍が住民の土地を無断で接収した。

ウ　集団自決（強制集団死）は日本軍の命令・誘導などでおこった。

エ　日本軍が住民をスパイと見なして虐殺した。

7　次の歌謡（口説）を読んで各設問に答えてください。（原典は宜保栄治郎著『琉球舞踊入門』）

タビヌンジタチ／クヮンヌンドー　シンティクヮンノン／フシヲゥガディ　クガニシャクトゥティ／タチワカル
①旅の出立ち／a．観音堂　千手観音／伏し拝で　黄金酌取て／立ち別る

スディニフルツィユ／ウシハライ　ウフドゥマツィバラ／アユミイク　ユキバハチマン／スーギンジ
②袖に降る露／押し払い　大道松原／歩み行く　行けば八幡／崇元寺

ミージタカハシ／ウチワタティ　スディユツィラニティ／ムルフィトゥヌ　ユクムカイルム／ナカヌハシ
③見栄地高橋／打ち渡て　袖を連ねて／諸人の　行くも帰るも／中の橋

ウチヌスバマディ／ウヤクチョーデー　ツィリティワカユル／タビグルム　スディトゥスディトゥニ／ツィユナミダ
④沖の側まで／親子兄弟　連れて別ゆる／旅衣　袖と袖とに／露涙

フニヌトゥムヅィナ／トゥクトゥクトゥ　フナクイサミティ／マフフィキバ　カジヤマトゥムニ／ンマヒツィジ
⑤船の艫綱／疾く解くと　船子勇めて／真帆ひけば　風や真艫に／b．午未

マタンミグリオー／グイントゥティ　マニクオゥジヤ／ミーグシク　ザンパミサチン／アトゥニミティ
⑥またも巡り合う／ご縁とて　招く扇や／三重ぐすく　c．残波岬も／後に見て

イヒャドゥタツィナミ／ウシスイティ　ミチヌシマジマ／ミワタシバ　シチトウトゥナカン／ナダヤシク
⑦伊平屋渡立つ波／押し添えて　道の島々／見渡せば　d．七島渡中も／灘安く

タチュルチムリヤ／ユヲゥガシマ　　サダヌミサチン／ハイナラディ　　エイ
⑧立ちゆる煙や／硫黄が島　　佐多の岬も／はいならで　　エイ
アリニミユルハ／ウカイムン　　フジニミマゴウ／サクラジマ
あれに見ゆるは／御開門　　富士に見紛う／桜島

問１　下線部ａは首里観音堂のことです。首里観音堂は、ある王子が国質（人質）として薩摩に連行された際、王子の父が息子の帰国を誓願し、その願いが叶えられたために建立されました。その王子は後に、第二尚氏王統の第８代琉球国王になりましたが、それはだれですか。記号で答えてください。**(30)**

ア　尚寧　　イ　尚永　　ウ　尚豊　　エ　尚敬

問２　下線部ｂは風の吹く方角を表します。次のうちどれですか。記号で答えてください。**(31)**

ア　南南西　　イ　西南西　　ウ　南南東　　エ　東南東

問３　下線部ｃの残波岬は図１のうち、どれにあたりますか。図中の記号で答えてください。**(32)**

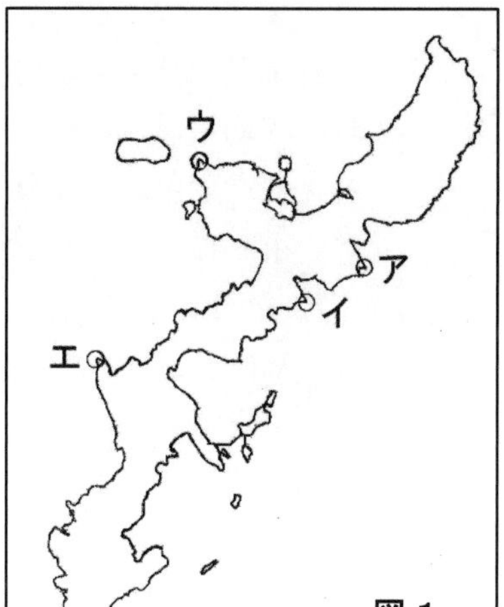

図 1

問４　下線部ｄの七島はトカラ列島のことを指します。次のうち、トカラ列島に含まれていない島はどれですか。記号で答えてください。**(33)**

ア　臥蛇島　　イ　悪石島　　ウ　宝島　　エ　加計呂麻島

問５　この歌謡は、沖縄島から鹿児島に向かう旅程を歌ったものです。この歌謡のタイトルを記号で答えてください。**(34)**

ア　島々口説　　イ　船旅口説
ウ　上り口説　　エ　下り口説

8　次の「オモロ」（『おもろさうし』巻１３の３５）を読んで、各設問に答えてください。

しよりゑとのふし
一　まはへ　すづなりぎや
　　ａ．まはい　さらめけば
　　ｂ．たう　なばん
　　ｃ．かまへ　つで　みおやせ
又　おゑちへ　すづなりぎや
　　おゑちへ　さらめけば

問１　下線部ａ「まはい」の意味にあてはまるものは何ですか。記号で答えてください。**(35)**

ア　真北風　　イ　真南風　　ウ　真西風　　エ　真東風

問２　下線部ｂの「たう・なばん」は地名を表していますが、それは何ですか。記号で答えてください。**(36)**

ア　朝鮮・東南アジア　　イ　朝鮮・オランダ
ウ　中国・オランダ　　エ　中国・東南アジア

問３　下線部ｃの「かまへ」のここでの意味は何ですか。記号で答えてください。**(37)**

ア　移民　　イ　風　　ウ　貿易品　　エ　太陽

問４　この「オモロ」が収められている『おもろさうし』巻１３の標題は何ですか。記号で答えてください。**(38)**

ア　船ゑとのおもろ　　イ　みおやだいりのおもろ
ウ　きこゑ大君のおもろ　　エ　首里のおもろ

9　**沖縄県の地理について、各設問に答えてください。**

問１　図１は沖縄島のある場所の断面図である。その場所（断面）として適当なのは、図２に示したア～エの線のうちどれですか。図中の記号で答えてください。**(39)**

図１

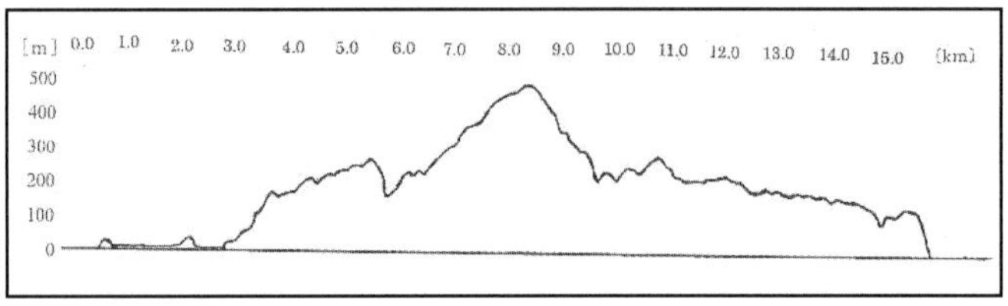

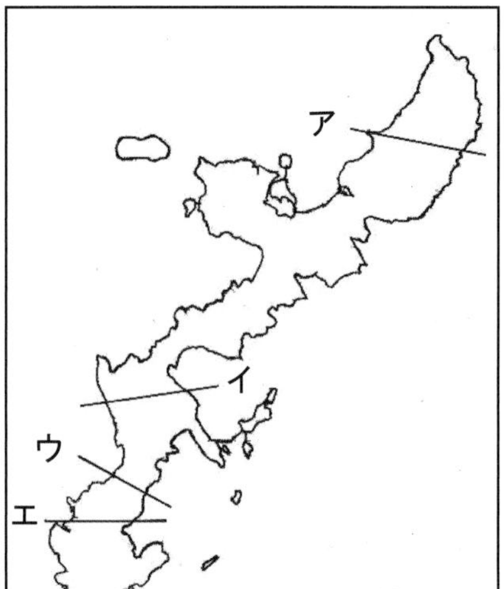

図２

問２　沖縄県は高温多湿で年間降水量は2000ミリ以上ですが、年間平均気温（1981～2010年）は約何度ですか。記号で答えてください。**(40)**

ア　１９℃　　イ　２３℃　　ウ　２６℃　　エ　３０℃

問３　琉球列島には、ハブが生息している島、生息していない島があります。ハブが本来は生息していない島はどこですか。記号で答えてください。**(41)**

ア　平安座島　　イ　与那国島　　ウ　津堅島　　エ　粟国島

問４　図３は、糸満市・うるま市・沖縄市・南城市のいずれかを示した略図である。糸満市にあたるものを記号で答えてください。なお、太線は海岸線、点線は市町村境界を示し、面積比は同率であるが、東西南北は一致せず、図の上が北になるとは限らない。**(42)**

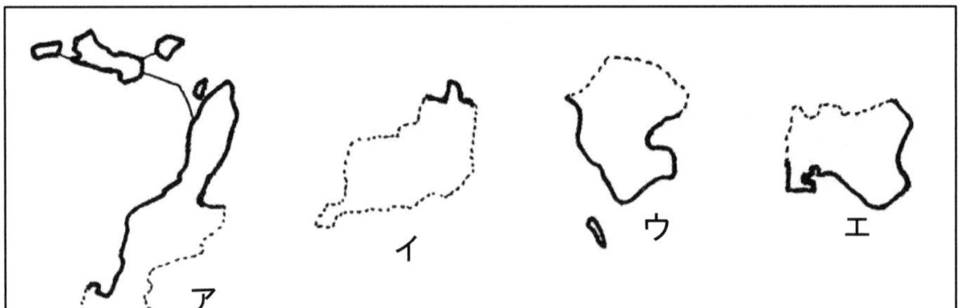

図３

10　**各設問に記号で答えてください。**

問１　2018年の北中城村の３月定例会本会議で、イオンモール沖縄ライカムのある地域に新しい字として「字ライカム」を設定する議案が全会一致で可決されましたが、「ライカム」とは何の略ですか。**(43)**

a　来客　カム　の略

b　ライジング・カミング　の略

c　リュウキュウ・コマンド・ヘッドクォーター　の略

d　リュウキュウ・インターナショナル・コミュニケーション　の略

問２　2018年１月23日に沖縄市の子どもの国で、県内で初めて生まれた子ゾウの「琉美」がなくなりました。その正しい読みはどれですか。**(44)**

a　るみ　　b　りゅうみ　　c　りゅうび　　d　るび

問３　2017年11月、東京ドームで行われたアジアプロ野球チャンピオンシップの日本代表メンバーで、県出身選手である山川穂高選手、多和田真三郎投手（ともに西武ライオンズ）は富士大学（岩手県）卒ですが、２人の出身高校はどこですか。**(45)**

a　中部商業高校　　b　沖縄尚学高校　　c　興南高校　　d　糸満高校

問４　2017年６月24日に公開された、メル・ギブソン監督の映画『ハクソー・リッジ』は沖縄戦を題材にしたものですが、その舞台となっているハクソー・リッジとはどこですか。**(46)**

a　嘉数高台　　b　前田高地　　c　喜屋武岬　　d　首里

問５　宮里藍選手にあこがれて８歳からゴルフを始め、2017年のプロテストに合格した興南高校出身の選手は誰ですか。**(47)**

a　諸見里しのぶ　　b　比嘉真美子　　c　新垣比菜　　d　大城美南海

問６　2018年４月、八重山諸島（西表石垣国立公園の地域）が、国際機関からある保護区として日本国内では初認定となった。その保護区はどれですか。**(48)**

a　マングローブ保護区　　b　砂浜保護区

c　サンセット保護区　　d　星空保護区

問７　2018年５月に県民栄誉賞を受賞し、９月に引退することを発表している沖縄出身のアーチスト安室奈美恵が、デビュー当時所属していたグループの名前は何ですか。**(49)**

a　フィンガー５　　b　フォルダー５

c　ＭＡＸ　　d　スーパーモンキーズ

問８　2018年３月18日に沖縄西海岸道路の一部（浦添市西洲から宜野湾市宇地泊）が開通しましたが、この道路は主にどの米軍基地の海岸部を通っているでしょうか。**(50)**

a　牧港補給地区（キャンプキンザー）　　b　キャンプ瑞慶覧（キャンプフォスター）

c　嘉手納飛行場（嘉手納エアーベース）　　d　那覇軍港（那覇ミリタリーポート）

2018年度　沖縄歴史検定解答用紙

2018年 9月 2日 実施

1	1		4	19		8	37	
	2			20			38	
	3			21		9	39	
	4		5	22			40	
	5			23			41	
2	6	年		24			42	
	7			25		10	43	
	8			26			44	
	9			27			45	
3	10		6	28			46	
	11			29			47	
	12		7	30			48	
	13			31			49	
	14			32			50	
4	15			33				
	16			34				
	17	年	8	35				
	18			36				

点

受検番号

氏名:

2019年度
沖縄歴史検定
（問題用紙）

解答を始める前に読んでください。

（1） 制限時間は５０分とします。

（2） 検定を受けながら沖縄に関する学習が深められるよう、作問を工夫しました。そのため、選択肢の解答も記号ではなく、そのまま用語を書き入れて答える問題もあります。問いをよく読んで答えてください。

（3） 解答はすべて解答用紙に記入してください。なお、配点はすべて２点とし、満点は１００点です。

（4） 等級の認定は次のとおりとします。

王 子 級（1級）―１００点
按 司 級（1級）― ９０点代最高得点者
親 方 級（1級）― ９０点以上
親雲上級（2級）― ７８～８８点
里之子級（3級）― ６４点～７６点

沖縄歴史教育研究会作成

2019年度　沖縄歴史検定

2019年　9月　1日　実施

1　次の文を読んで設問に答えてください。

2018年、世界遺産にも登録されている玉陵が国宝に指定された。玉陵は、1501年に第二尚氏三代・尚真によって造られた墓所である。

玉陵は1972年に国指定の史跡にもなっているが、沖縄県内で墓が史跡になっているものは、貝塚時代後期の木綿原遺跡、グスク時代（古琉球時代）から近世の銘苅墓跡(はかあと)群がある。離島では、宮古島の（　D　）墓が国指定の史跡である。

問1　石垣市の白保竿根田原遺跡では、ある時代の墓が発見され話題となった。その墓はどの時代のものですか。記号で答えてください。**(1)**

ア　旧石器時代　　イ　縄文時代　　ウ　弥生時代　　エ　古墳時代

問2　読谷村にある木綿原遺跡では、弥生文化の影響を受けたとされる墓がみつかっている。その墓の形態は次のどれですか。記号で答えてください。**(2)**

ア　風葬墓　　イ　甕棺(かめかん)墓　　ウ　箱式石棺墓　　エ　支石墓

問3　グスク時代は、グスク（城）が各地に築かれたことからこうよばれる。グスクの主要なものは世界遺産に登録されているが、次のうち世界遺産に含まれるものはどれですか。記号で答えてください。**(3)**

ア　浦添城跡　　イ　座喜味城跡　　ウ　知念城跡　　エ　南山城跡

問4　次のうち、尚真または尚清の時代に行われた文化的な事業にあたるものはどれですか。記号で答えてください。**(4)**

ア　首里城外苑を造成し、「安国山樹花木之記碑」を建てた

イ　王家の菩提(ぼだい)寺として安国寺を建立した

ウ　オモロという古謡を『おもろさうし』として編さんした

エ　初めての歴史書として『中山世鑑』を編さんした

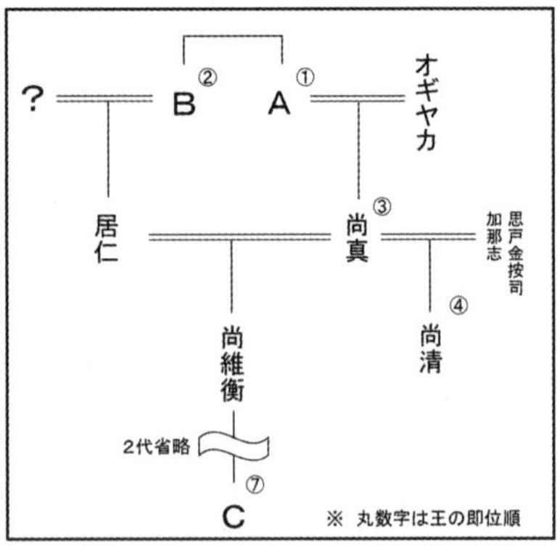

問5　玉陵には葬られるべき人を記した「玉陵碑」があるが、右系図中のCの王は、高祖父の尚維衡がこれから外れている。このCの王はだれですか。記号で答えてください。**(5)**

ア　尚円　　イ　尚寧　　ウ　尚豊　　エ　尚宣威

問6　空欄Dには、古琉球時代に宮古を治めた首長の称号が入る。その称号は何ですか。記号で答えてください。**(6)**

ア　豊見親　　イ　親雲上　　ウ　君南風　　エ　てだこ

2　下の年表は近世期の首里城に関するおもな出来事をまとめたものです。表をみながら設問に答えてください。

年代	主なできごと
（　A　）年	薩摩藩島津氏が琉球を侵攻。国王尚寧、鹿児島に連行される。
1660年	失火により首里城が全焼。
1671年	a.首里城が再建される。これまでの板葺から瓦葺に改められる。
1709年	失火により首里城が全焼（1712年に主要施設が再建）。
1719年	国王尚敬冊封のためのb.冊封使が来琉。 冊封使歓待の宴でc.組踊が初めて上演される。
1846年	欧米船の来航に備え、歓会門・久慶門・継世門の扉を二重にする。
1853年	アメリカの（　B　）が来琉し、首里城を訪問する。
1879年	沖縄県の設置。尚泰、東京への居住を命じられる。

問１　空欄Ａに入る年を西暦で答えてください。**(７)**

問２　下線部aについて、この時の再建には、1666年に摂政に就任し、様々な政治改革を行った人物が関わっている。その人物は誰ですか、記号で答えてください。**(８)**

ア　平敷屋朝敏　　イ　牧志朝忠　　ウ　羽地朝秀　　エ　儀間真常

問３　下線部bについて、この時来琉した徐葆光が著したものはどれですか、記号で答えてください。**(９)**

ア『中山世譜』　　イ『琉球国由来記』　　ウ『歴代宝案』　　エ『中山伝信録』

問４　下線部cについて、玉城朝薫が創ったとされる組踊として誤っているものは次のうちどれですか、記号で答えてください。**(10)**

ア　孝行の巻　　イ　花売の縁　　ウ　女物狂　　エ　銘苅子

問５　空欄Ｂに当てはまる人物名を答えてください。**(11)**

問６　首里城に関して、2019年２月１日から新たに開園した「御内原エリア」にある施設として誤っているものはどれですか、記号で答えてください。**(12)**

ア　二階御殿　　イ　寄満（ユインチ）　　ウ　世誇殿　　エ　番所

３　次の古琉球期から近世琉球にかけての文章を読んで、各設問に答えてください。

沖縄は多くの移民を出した県として、「移民県」とも言われたりする。近世以降、いわゆる「出稼ぎ」で県外へ職を求めていったほか、沖縄戦後にかけての多くのａ.海外移民をも輩出している。このような沖縄から出て行く人の移動については、あるい漠然としつつも広く知られているところである。ここでは、琉球・沖縄へやってきた人々に目を転じてみよう。

古琉球期に琉球にやってきた人々として、13～14世紀にかけて日本からは禅鑑や頼重といった僧侶がいる。このうち禅鑑はｂ.浦添城の西に極楽寺を建立し仏教を広めたことで、頼重は護国寺を開き仏教の普及に努めた。14世紀末になると、中国の皇帝から賜ったとされる久米（　Ａ　）姓の来琉が伝えられている（ｃ.琉球の歴史書はその来琉を1392年とする）。

近世期のはじめ、日本からやってきた人には尚豊王の侍講になったという屋久島出身の儒学者・泊竹如もいる。また同じく尚豊王のころ、王の希望によって来琉したｄ.朝鮮人陶工がおり、琉球の焼き物の技術を高めた。

問１　下線部ａについて、1900年に26人の沖縄人が移民をした地域としてただしいのはどこか、記号で答えてください。**(13)**

ア　アルゼンチン　　イ　ハワイ　　ウ　フィリピン　　エ　ペルー

問２　下線部ｂには、いわゆる「沖縄学の御三家」のうち一人の墓所があることでも知られている。それは誰の墓所なのか、記号で答えてください。**(14)**

ア　伊波普猷　　イ　島袋全発　　ウ　仲原善忠　　エ　比嘉春潮

問３　空欄Ａについてあてはまる語句はどれか、記号で答えてください。**(15)**

ア　十六　　イ　二十六　　ウ　三十六　　エ　四十六

問４　下線部ｃとして正しいのはどれか、記号で答えてください。**(16)**

ア　沖縄志　　イ　球陽　　ウ　古事記　　エ　琉球国志略

問５　下線部ｄにあてはまる人物として適当なのは誰か、記号で答えてください。**(17)**

ア　渡嘉敷三良　　イ　仲地麗伸　　ウ　仲村渠致元　　エ　平田典通

４　次の文は沖縄戦体験者の証言です。この証言を読んで、各設問に答えてください。

卒業式は忘れもしない、45年３月23日。学校へ向かう途中米軍の爆撃が始まった。親せきと取る物も取りあえず、前年の「（　Ａ　）空襲」後に父が作った防空壕に駆け込んだ。爆撃は夕方まで続き、結局卒業式は中止。卒業証書はもらえなかった。

ａ.翌日から戦闘が激しくなった。４月下旬、（　Ｂ　）だった父が様子を見に戻り、南部へ避難するよう言った。〈中略〉その時の僕は「ｂ.天長節だから神風が吹く。非難しなくても大丈夫なのに」と信じて疑わなかった。〈中略〉

5月20日の夜明け前、玉城村船越（当時）にたどり着き、空き家でしばらく過ごしたが、米軍が首里まで迫っているとのことで、さらに南下することを決めた。

空き家を出て100メートルほど歩いた時、艦砲が目の前で爆発した。いとことおじの3人は即死。〈中略〉道には死体が切れ目なくあった。けが人から「水を飲ませて」と請われても、どうすることもできなかった。〈中略〉（6月）24日、隣の摩文仁集落の畑に集まっていた兵士から「（　C　）」と知らされ、絶望した。〈中略〉（その後、玉城の百名、名護の瀬嵩の収容所に収容され、故郷の）浦添に戻れたのは46年2月。見渡す限り、焼け野原だった。その後、c.（浦添の）小湾地区は米軍に接収され、今はもう入ることができない。

※文中の（）内は作問者の補足

2015年10月18日付『沖縄タイムス』

「語れども語れども　うまんちゅの戦争体験175」より

問1　空欄Aについて、当時の那覇市の9割が焼失した空襲の名前を答えてください。**(18)**

問2　下線部aについて、この2日後に米軍が上陸を開始します。米軍が最初に上陸した場所はどこですか。記号で答えてください。**(19)**

ア　座間味島　　イ　読谷　　ウ　現八重瀬町港川　　エ　今帰仁村運天

問3　空欄Bについて、沖縄にいた満17歳から満45歳までの男性は軍に召集され各地の部隊に編成されました。このような兵隊をなんと呼ぶか、記号で答えてください。**(20)**

ア　海上挺身隊　　イ　球部隊　　ウ　鉄血勤王隊　　エ　防衛隊

問4　下線部bについて、この当時、日本軍が住民に流していた噂として適当なものを選び、記号で答えてください。**(21)**

ア　嵐がやってきて米軍の艦隊は沈没する。

イ　ドイツの艦隊が助けに来て、米軍の艦隊は逃げる。

ウ　特攻隊が来て米軍の艦隊を撃滅させる。

エ　戦艦武蔵が来て米軍の艦隊を追い払う。

問5　空欄Cに当てはまる言葉として適当なものを選び、記号で答えてください。**(22)**

ア　牛島司令官が昨日自決した

イ　首里の司令部が昨日陥落した

ウ　昨日広島に新型爆弾が落とされた

エ　天皇陛下が昨日ラジオで降伏を報せた

問6　下線部cについて、この米軍専用施設の名前は何ですか。記号で答えてください。**(23)**

ア　キャンプ・シュワブ　　イ　キャンプ・キンザー

ウ　トリイ・ステーション　　エ　ホワイトビーチ

5　次の文を読んで設問に答えてください

第二次世界大戦後の1946年1月、中頭郡具志川村（後に具志川市、現在のa.うるま市）に小学校等の教員養成を目的とした沖縄文教学校が開学した。当初は「師範部」、「農林部」、「外語部」で構成されていた。このうち、「農林部」は同年4月に現在の中部農林高校へ分離独立した。「外語部」は9月には沖縄外国語学校となったが、1950年、首里城跡に（　A　）が開学するに伴い、吸収された。

その後、（A）は西原町に移転し、b.首里城跡では建物や城壁の復元が進められた。（　B　）年には復帰の周年事業として正殿が復元され、首里城公園として公開されている。

問1　空欄Aに入る学校名を記号で答えてください。**(24)**

ア　沖縄大学　　イ　国際大学　　ウ　琉球大学　　エ　沖縄国際大学

問2　下線部aについて、うるま市には戦後初に設置された高校がある。それはどこですか、記号で答えてください。**(25)**

ア　石川高校　　イ　与勝高校　　ウ　前原高校　　エ　具志川高校

問3　下線部aについて、このとき合併した市町村に含まれないものはどれですか。記号で答えてください。**(26)**

ア　石川市　　イ　勝連町　　ウ　与那城町　　エ　美里村

問4　下線部aについて、うるま市のように合併した市町村としてあてはまらないものを選び、記号で答えてください。**(27)**

ア　宮古島市　　イ　八重瀬町　　ウ　南城市　　エ　浦添市

問5　空欄Bについて、首里城正殿が再建されたのは何年ですか。記号で答えてください。**(28)**

ア　１９８２　　イ　１９８７　　ウ　１９９２　　エ　１９９７

問6　首里城正殿が再建された翌年、沖縄を舞台にしたＮＨＫ大河ドラマが放映されましたが、そのタイトルは何ですか。記号で答えてください。**(29)**

ア　琉球の風　　イ　琉球の嵐　　ウ　琉球の夢　　エ　琉球の海

6　以下の文章は1950年代に『琉球新報』に掲載された「続植杖録」というコラムから引用し、読みやすいように適宜ふりがな等を振ったものである。この文章を読んで、各設問に答えてください。

沖縄風の婦人のマゲを若い人達が「カンプー」と唱えているのを耳にした事があるが、眉をひそめただけで聞き流していたら、a．沖縄映画の説明者が大真面目で婦人のカンプー云々（うんぬん）と云（い）ったかと思うと、本紙の記事にもまた再三そう云う用語を見た。それが当然の名目と勘違いしているものであるらしく、そのままにしておいたら、当然の名目になって了（しま）いそうである。

唐や平組（フィラグン）大和や丁髷（カンピュー）

わした沖縄やb．片髪

と云う俚謡（りよう）があって、カンピュー（又はカンプー）と云うのは、丁髷（チョンマゲ）の事である。[中略]

c．言葉の意味は兎（と）に角（かく）、語感と云うものがだんだん縁遠いものになりつつあるのは淋しい極みである。

問1　上記の文章を書いた人物は、沖縄を対象とした研究の発展に功績を挙げた研究者に与えられる賞（琉球新報社主催）の名称としても知られている。この人物は誰か、記号で答えてください。**(30)**

ア　金城朝永　　イ　末吉麦門冬　　ウ　東恩納寛惇　　エ　真境名安興

問2　下線部aは沖縄を題材にした映画を指す言葉です。2018年に公開された沖縄映画で、照屋年之監督作品は何ですか、記述して答えてください。**(31)**

問3　下線部bについて、最も適当な読みをカタカナ五文字で答えてください。**(32)**

問4　下線部cについて、語感が縁遠くなってしまっているものの一つに地名や人名がある。それでは古典音楽または舞踊の「ヌファ節」の「ヌファ」は漢字表記ではどうなるのか、記述して答えてください。**(33)**

7　次の近世期の人物が編纂または著述した作品として適当なものはどれか、正しい組み合わせを線で結んでください。　※答えは解答用紙に記入してください。

		・『思出草』
A　宜湾朝保 **(34)**	・	・『球雅』
		・『三鳥問答』
B　識名盛命 **(35)**	・	・『沖縄集』
		・『晨光閣唱和集』
C　平敷屋朝敏 **(36)**	・	・『貧家記』
		・『老後家中記』

8　**下の白地図をもとに以下の設問に答えてください。**

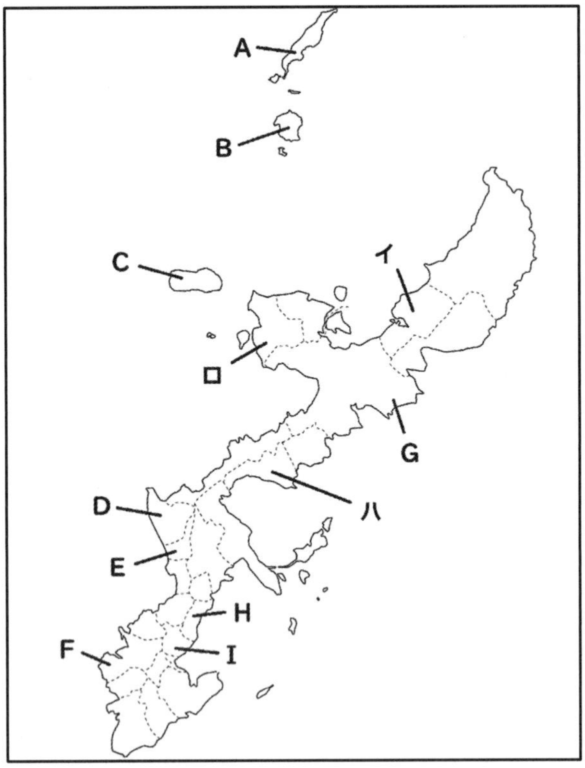

問１　白地図中イ～ハの場所（市町村）について、それぞれの設問に答えてください。

1．イの自治体名を漢字で答えてください。**(37)**

2．ロとハの自治体のキーワードとして、適当なものを語群から選び、記号で答えてください。

ロ：**(38)**　　ハ：**(39)**

【語群】

あ　円すいカルスト
い　海外雄飛の里
う　地下ダム
え　ハーリー（爬龍船競漕）発祥の地
お　源為朝上陸伝説
か　むんじゅるの里

問２　次の写真１～４それぞれの場所（市町村）がどこなのか、白地図中Ａ～Ｉの記号で答えてください。

1．劇聖玉城朝薫生誕三百年記念碑 **(40)**

玉城朝薫が創作した組踊「執心鐘入」縁の地にある

2．伊是名玉御殿 **(41)**

第二尚氏王統初代王・尚円の出身地にある

3．甘藷発祥の地　野国いも宣言碑 **(42)**

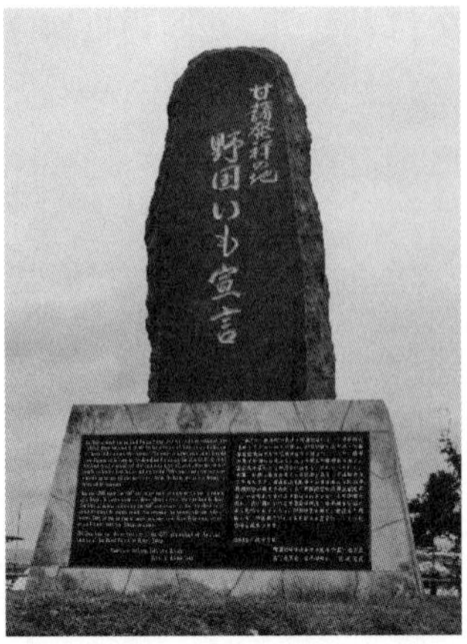

中国から甘藷を持ち帰ってきた野国総管縁の地にある

4．護佐丸公之御墓碑 **(43)**

護佐丸が最期を遂げたグスクの近くにある

9

問１　2019年10月に沖縄都市モノレール（ゆいレール）の新駅が開業する予定です。新駅は４つありますが、このうち終着駅にあたる駅はどれですか。**(44)**

a　石嶺駅　　b　経塚駅　　c　浦添前田駅　　d　てだこ浦西駅

問２　ディズニー映画『モアナと伝説の海』でモアナの吹き替えを演じた屋比久知奈さんが、ミュージカル『ミスサイゴン』(2020年上演予定）で主人公キムを演じる１人に選ばれました。『ミスサイゴン』はある戦争から物語が始まりますが、その戦争は何ですか。**(45)**

a　朝鮮戦争　　b　ベトナム戦争　　c　カンボジア内戦　　d　湾岸戦争

問３　2019年３月、宮古諸島のある離島の空港で新ターミナルが開業し、民間航空機の運航が始まりました。その島はどこですか。**(46)**

a　伊良部島　　b　下地島　　c　多良間島　　d　波照間島

問４　2018年の沖縄県への入域観光客数が、これまでの記録を更新しました。この数字（人数）にあたるものはどれですか。**(47)**

a　約５５５万人　　b　約７７７万人　　c　約９９９万人　　d　約１１１１万人

問５　2019年７月から８月にかけて、南部九州総体（全国高校総体）の競技の一部が沖縄県内でも実施されました。沖縄県内で実施された競技はどれですか。**(48)**

a　空手道　　b　バスケットボール　　c　バレーボール　　d　ボート

問６　2019年６月、「地域の歴史的な魅力や特色を通じて文化・伝統を語るストーリーを文化庁が認定」する日本遺産として、沖縄県・那覇市・浦添市が共同申請した琉球料理・泡盛・芸能の３つが認定されました。この中で、「生活文化」の分野として認定されたものに含まれないものはどれですか。**(49)**

a　豆腐よう　　b　御冠船（うかんしん）料理　　c　清明祭　　d　豊年祭

問７　2019年6月から国土地理院で公開している日本地図の最西端の位置が、それまでよりも260m西方へ移動しました。その最西端の地のある自治体はどこですか。**(50)**

a　石垣市　　b　多良間村　　c　竹富町　　d　与那国町

2019年度　沖縄歴史検定解答用紙

2019年　9月　1日　実施

1	1	
	2	
	3	
	4	
	5	
	6	
2	7	年
	8	
	9	
	10	
	11	
	12	
3	13	
	14	
	15	
	16	
	17	
4	18	空襲

4	19	
	20	
	21	
	22	
	23	
5	24	
	25	
	26	
	27	
	28	
	29	
6	30	
	31	
	32	
	33	
7	34	A ・
	35	B ・
	36	C ・

・『思出草』
・『球雅』
・『三鳥問答』
・『沖縄集』
・『晨光閣唱和集』
・『貧家記』
・『老後家中記』

8	37	
	38	
	39	
	40	
	41	
	42	
	43	
9	44	
	45	
	46	
	47	
	48	
	49	
	50	

点

受検番号

氏名:

2020年度
沖縄歴史検定
（問題用紙）

解答を始める前に読んでください。

（1）　制限時間は５０分とします。

（2）　検定を受けながら沖縄に関する学習が深められるよう、作問を工夫しました。そのため、選択肢の解答も記号ではなく、そのまま用語を書き入れて答える問題もあります。問いをよく読んで答えてください。

（3）　解答はすべて解答用紙に記入してください。なお、配点はすべて２点とし、満点は１００点です。

（4）　等級の認定は次のとおりとします。

王 子 級（1級）－１００点
按 司 級（1級）－　９０点代最高得点者
親 方 級（1級）－　８６点以上
親雲上級（2級）－　７０～８４点
里之子級（3級）－　５０～６８点

沖縄歴史教育研究会作成

2020年度　沖縄歴史検定（一般用）

2021年　1月31日　実施

1　**先史時代（旧石器～貝塚時代）からグスク時代（古琉球時代）について、各設問に答えてください。**

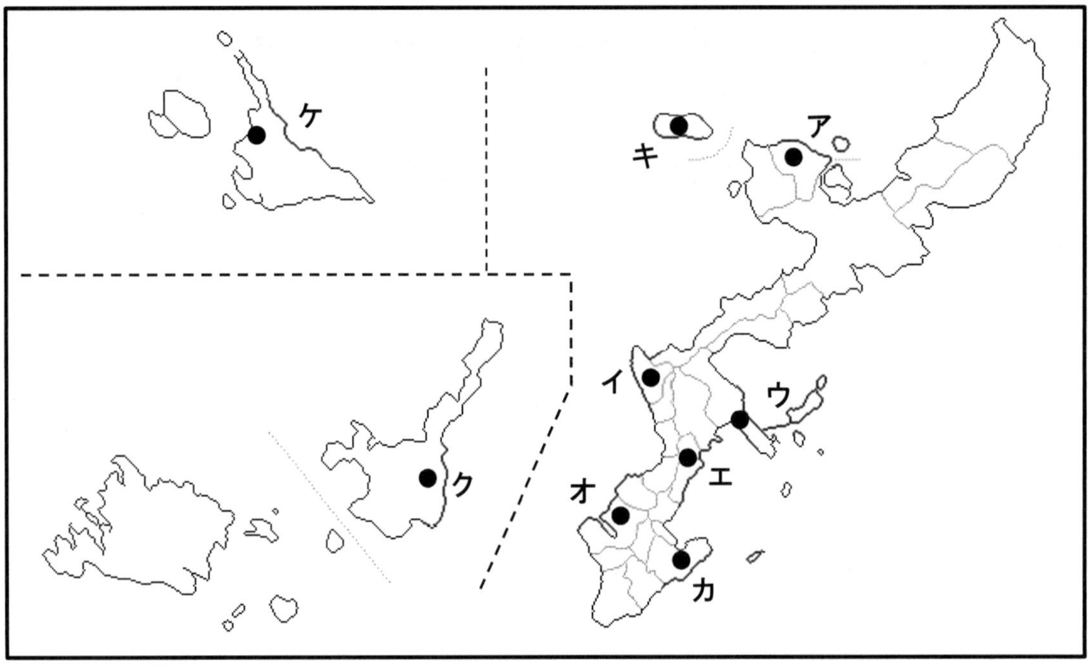

問1　次のA～Dの世界遺産はどこにありますか。地図中ア～カから選び、記号で答えてください。

A　その繁栄が京や鎌倉に例えられた阿麻和利の居城である　**(1)**
B　北山の滅亡後、護佐丸が山田城から移ってきたグスクである　**(2)**
C　聞得大君が就任する御新下り（おあらお）の儀式が行われた御嶽である　**(3)**
D　王家の別邸として建てられ、冊封使歓待の場としても利用された　**(4)**

問2　地図中キの地点の遺跡では、貝の腕輪をした女性の墓がみつかっている。このような貝の腕輪は九州でもみつかっているが、その貝の種類として適当なのはどれですか。記号で答えてください。**(5)**

ア　ゴホウラ　　イ　シャコガイ　　ウ　タカラガイ　　エ　ヤコウガイ

問3　地図中クにある遺跡について述べたものとして適当なのはどれですか。記号で答えてください。**(6)**

ア　直接、人骨から年代が判明した最古の旧石器時代の人骨がみつかった
イ　縄文文化の特徴である土偶が琉球列島で初めてみつかった
ウ　八重山諸島の先史時代の土器である伊波式土器が初めてみつかった
エ　グスク時代を特徴づける遺物であるカムィヤキの窯跡がみつかった

問4　地図中ケの地点には、仲宗根豊見親の墓（豊見親墓）がある。仲宗根豊見親に関わるできごととして適当なのはどれですか。記号で答えてください。**(7)**

ア　1453年におこった志魯・布里の乱　　イ　1466年におこった尚徳の喜界島遠征
ウ　1500年におこったオヤケアカハチの戦い　　エ　1609年におこった薩摩の琉球侵略

2　次の近世琉球についての文章を読んで、各設問に答えてください。

1609年、薩摩藩島津氏による侵攻を受けた琉球国は戦いに敗れ、（　A　）王をはじめ重臣が薩摩へ連行されることとなった。薩摩藩を介して徳川幕府の政権下に組み込まれた琉球国では、a. 硫黄鳥島を除く与論島以北の島々の割譲や薩摩への貢納の開始など、政治・経済体制は大きく変化することとなった。「近世琉球」の時代には、羽地朝秀や b. 蔡温らによって改革が推進されただけでなく、「小国琉球のアイデンティティを確立する営み」として c. 様々な歴史書や家譜の編集が行われた。

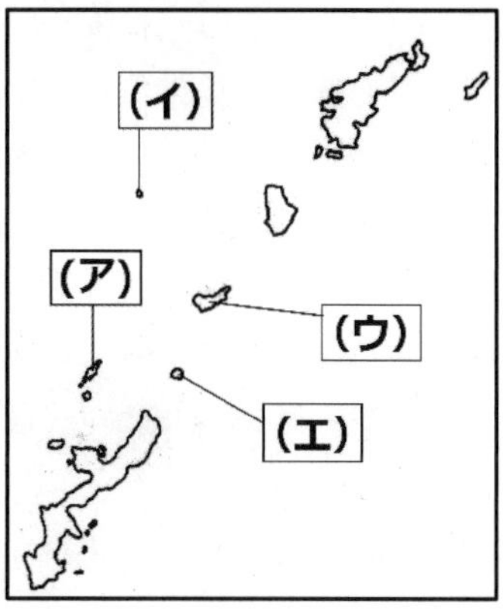

問１　空欄Aにあてはまる国王名を、記号で答えてください。**(8)**

ア　尚真　　イ　尚育　　ウ　尚寧　　エ　尚清

問２　下線部aについて、硫黄鳥島はどれですか。右地図中の記号(ア)～(エ)から選んでください。**(9)**

問３　下線部bの人物が著したものとして正しいものを選んでください。**(10)**

ア『歴代宝案』　イ『御教条』　ウ『中山伝信録』　エ『混効験集』

問４　下線部cについて、下記①～④はこの時代に編纂された史料である。①～④の史料の説明として正しいものを、それぞれア～オの中から選んでください。

①『中山世鑑』**(11)**　②『琉球国由来記』**(12)**　③『球陽』**(13)**　④『中山世譜』**(14)**

ア　1713年編纂。琉球国の年中行事や社寺、各地の御嶽等が記載されている。
イ　1650年編纂。羽地朝秀が著したもので、琉球最初の歴史書ともいわれている。
ウ　ある歴史書を漢文に訳したもので、蔡鐸本（1701年）と蔡温本（1725年）とがある。
エ　1745年編纂。歴代の国王の在位中におこった出来事を王代ごとにまとめた歴史書。
オ　1711年編纂。王府の宮廷語（女官の語）等を記録・編集したもの。

3　右の表は琉球に来た主な異国船をまとめたものです。表をみながら設問に答えてください。

年代	船名	主な人物
1816年	ライラ号	（ A ） クリフォード
	アルセスト号	マクスウェル
1840年	a.インディアン・オーク号	グレンチャー J・J・B・ボーマン
1844年	アルクメーヌ号	デュプラン
1846年	スターリング号	ベッテルハイム
1852年	b.ロバート・バウン号	中国人苦力（クーリー）
1853年	サスケハナ号	c.ペリー

問１　空欄Aには、ライラ号の艦長で『朝鮮西岸及び大琉球島探検航海記』を著し、琉球を武器のない平和な島としてナポレオンに紹介したとされる人物が入ります。その人物名を語群から選び記号で答えてください。**(15)**

ア　フォルカード　　イ　バジル・ホール
ウ　ル・テュルデュ　　エ　セシーユ

問２　下線部aが北谷沖に漂着した出来事は、その時期にイギリスと中国（清）の間で起こった戦争に関係しています。その戦争の名称を答えてください。**(16)**

問３　右の写真は、下線部bが中国厦門（アモイ）港から中国人労働者（苦力）を乗せてカリフォルニアに向かう途中で座礁した際、上陸した島で亡くなった苦力を慰霊するために建てられた「唐人墓」です。この唐人墓のある島の名前を答えてください。**(17)**

問４　下線部cについて、ペリー艦隊に対し、通事（通訳）として活躍した人物を語群から選んでください。**(18)**

ア　宜湾朝保　　イ　儀間真常　　ウ　安仁屋政輔　　エ　牧志朝忠

4　**次の首里城についての文章を読んで、各設問に答えてください。**

2019年10月31日払暁、a.首里城正殿が焼け落ちた。

首里城はいつ創建されたのかについては不明であるが、創建以来、正殿を全焼させる規模の火災は1660年、1709年、b.1945年にあった。しかしその度に、首里城は再建された。最後の再建工事は沖縄の復帰20周年を記念して（　A　）年竣工したもので、今次焼けた首里城正殿はこのときの再建によるものである。

2020年12月現在、沖縄県では首里城焼失の翌日である11月1日を、「琉球歴史文化の日」（仮称）とするよう条例制定に向けての動きがあり、県が発表した「条例の背景」には、「沖縄の先人たちは、長い歴史の中で、祖先への敬い、自然への畏敬の念、他者の痛みに寄り添う c.チムグクルを育むとともに、古来、アジア諸国との交易を通じて多様な文化を受け入れ、d.組踊を始めとする芸能や漆器などの工芸、琉球料理や泡盛などの食文化、（　B　）や染織など、多岐にわたり洗練された独自の多様な伝統文化を創り上げてきた。そして、これらの文化を支えに、幾多の世変わりの中にあっても、その都度困難を克服してきた。」と記されている。

問１　琉球国時代、下線部ａに掛けられていた梵鐘として正しいものを記号で答えてください。**(19)**

ア　万国共和之鐘　　イ　万国津梁之鐘　　ウ　万国通商之鐘　　エ　万国平和之鐘

問２　下線部aの焼け跡と考えられる場所から、ある盤上遊戯の駒が見つかっています。その盤上遊戯は漢字で「象棋」と書きますが、沖縄ではこれを何と読むのかカタカナで書いてください。**(20)**

問３　下線部bの年に失われた首里城は、沖縄県設置後のあるときに、取り壊しが決定されたことがありました。このときに取り壊しの撤回のために行動した人物として適当な人物は誰か、記号で答えてください。**(21)**

ア　鎌倉芳太郎　　イ　尚泰　　ウ　高嶺朝教　　エ　南風原朝保

問４　空欄Ａに入る適当な数字を書いてください。**(22)**

問５　下線部cを最も適当と思われる漢字二文字で書いてください。**(23)**

問６　下線部dのうち有名な組踊「三番」の作者として正しいものを記号で答えてください。**(24)**

ア　神谷厚詮　　イ　玉城朝薫　　ウ　田里朝直　　エ　平敷屋朝敏

問７　空欄Ｂには沖縄で誕生したある事物が入ります。それは「（　Ｂ　）に先手なし」という言葉でも知られますが、あてはまる語句を漢字二文字で書いてください。**(25)**

5　**次の沖縄戦に関する文を読み、各設問に記号で答えてください。**

戦後75年だった2020年に、2019年10月に焼失した首里城の再建が検討される中で旧日本軍が首里城の地下を南北につらぬくように掘った第３２軍司令部壕についても保存、公開の検討を求める声が上がった。旧日本軍が、ａ.米軍の本土上陸を遅らせるための持久戦と位置づけた沖縄戦の指揮をとった場所である。壕の総延長は１km以上とされ、司令官室や作戦参謀室、炊事場などが設けられ、1945年３月下旬から使用された。４月１日に旧日本軍はｂ.米軍の沖縄島上陸をあっさりと許したが、その後首里の司令部を目指す米軍に猛烈な反撃を開始した。首里の司令部は沖縄島南部に撤退する同年５月下旬まで指揮の拠点となったが、この司令部壕があったために首里城は壊滅的な攻撃を受けることにもなった。５月31日、首里の司令部壕は米軍に占領された。その後、ｃ．６月23日に司令官の自決により組織的な戦闘は終了するが、最後まで戦うことを命令した司令官の死により、戦争の終結が遅れただけでなく、ｄ.住民の犠牲者を増やす結果となった。

問１　下線部ａについて、米軍の本土上陸を遅らせるための持久戦をするために日本軍がとった作戦はどんな作戦ですか。記号で答えてください。**(26)**

ア　上陸を阻むための水際作戦

イ　上陸させた後、沿岸地域で釘付けする作戦

ウ　上陸させ、陸地の奥深くまで進軍させた後に反撃する作戦

エ　上陸をさせて補給を絶つ作戦

問２　下線部ｂについて、米軍が上陸したのは沖縄島のどこですか。記号で答えてください。**(27)**

ア　沖縄島南部　　イ　沖縄島中部東海岸

ウ　沖縄島中部西海岸　　エ　沖縄島北部

問３　下線部ｂについて、各地で激しい戦闘も繰り広げられ、読谷村の波平地区の住民は、村内の２つのガマに分かれて避難した。チビチリガマでは集団自決（強制集団死）が起こったのに対し、もう一方のシムクガマではこのような悲劇がおこらなかった。その理由として適当なものはどれですか。記号で答えてください。**(28)**

ア　シムクガマにはユタがいた　　イ　シムクガマには水と食料が豊富にあった

ウ　シムクガマには日本兵がいた　　エ　シムクガマにはハワイ帰りの住民がいた

問４　下線部ｃについて、その司令官は誰ですか。記号で答えてください。**(29)**

ア　大田実　　イ　島田叡　　ウ　長勇　　エ　牛島満

問５　下線部ｄについて、沖縄戦では多くの非戦闘員（住民）が犠牲となったが、米軍が上陸しなかった宮古・八重山でも、同様だった。住民が、伝染病がはびこる山岳地帯への強制退去などのため病気になり犠牲となったのだが、この感染症とは何ですか。記号で答えてください。**(30)**

ア　マラリア　　イ　黄熱病　　ウ　天然痘　　エ　ペスト

6　次の県内高等学校の校歌（掲げているのは１番と５番）について、各設問に答えてください。

作詞　a. 真栄田義見

作曲　友利明夫

(一)

b. 世紀の嵐吹きすさみ

故山の草木貌（かたち）変え

千歳の伝統うつろいて

古（ふ）りぬる跡も今はなし

(五)

沖縄の空狭くとも

心は通うc. 五大州

世界に伍（ご）する高き道

いざ大らかに進みなむ

問１　下線部ａの作詞者について、説明文として正しいものを記号で答えてください。**(31)**

ア　小説「カクテル・パーティー」が芥川賞を受賞した

イ　戦前に「さまよへる琉球人」という作品を書いた

ウ　復帰運動に尽力し、「復帰男」ともあだ名された

エ　歴史研究者で沖縄大学の学長もつとめた

問２　下線部ｂは別の表現では「鉄の暴風」とも言われるが、具体的になんの事なのか漢字三文字で答えてください。**(32)**

問３　下線部ｃと同じ言葉が使われた下の歌があるが、その作者は誰か記号で答えてください。**(33)**

いざ行かむ　吾等の家は　五大州　誠一つの金武世界石

ア　伊芸銀勇　　イ　大城孝蔵　　ウ　謝花昇　　エ　當山久三

問４　この校歌は那覇市内にある県立高等学校のものです。戦前は県立第二中学校というこの学校の、現在の学校名を漢字で答えてください。**(34)**

7　沖縄県知事の在職期間を示している次の表を見ながら、下の各設問に答えてください。

在職期間	1972〜1976 年	1976〜1978 年	1978〜1990 年	1990〜1998 年	1998〜2006 年
知事名	A	B	C	D	稲嶺惠一

問１　空欄Ａ〜Ｄにあてはまる沖縄県知事名の組み合わせとして正しいものを、次のア〜エから１つ選び、記号で答えてください。**(35)**

	A	B	C	D
ア	比嘉秀平	平良幸市	大田昌秀	仲井眞弘多
イ	屋良朝苗	比嘉秀平	平良幸市	仲井眞弘多
ウ	屋良朝苗	平良幸市	西銘順治	大田昌秀
エ	比嘉秀平	屋良朝苗	西銘順治	大田昌秀

問２　次の出来事の第１回はすべて同じ知事の在職期間中に行われたものです。Ａ〜Ｄのうち、どの知事の時に開催されたものか。Ａ〜Ｄの記号から１つ選び記号で答えてください。**(36)**

「宮古島トライアスロン大会」「ＮＡＨＡマラソン」「世界のウチナーンチュ大会」

問３　Ｄの知事の時の出来事として述べた次の各文の正誤の組み合わせとして正しいものを次のア〜エから１つ選び記号で答えてください。**(37)**

①　モノレールの導入計画や琉大医学部の設置といった「文化立県」の素地が進められ、地場産業の振興発展のために「産業まつり」がスタートした。

②　首里城の復元や「平和の礎」が建立され、女性副知事を誕生させるなど、女性の地位向上にも積極的に取り組んだ。

ア　①-正　②-正　　イ　①-正　②-誤　　ウ　①-誤　②-正　　エ　①-誤　②-誤

8　次の近代の琉歌二首を読んで、各設問に答えてください。

Ⅰ　さやか照る月に　a.顔かくちをしや　次の字の下の　皿やあらに

（島袋三良　大正2年10月9日付『沖縄毎日新聞』所載）

Ⅱ　島の会でむぬ　でちやようし連れて　語て飲で泣かな　大和旅に

（b.石川正通　昭和14年6月12日付『琉球新報』所載）

問１　Ⅰの琉歌について、下線部aは何を意味しているか、琉歌の歌意を汲んで最も適当な漢字一文字で答えてください。**(38)**

問２　Ⅱの琉歌は、とある会合への出欠を求められた作者が回答文につけた琉歌です。この琉歌の歌意を汲んで、作者に代わり解答欄の出欠に○をつけて下さい。**(39)**

問３　Ⅱの琉歌について、下線部bの作者の説明文として正しいものを記号で答えてください。**(40)**

ア　英文学者。戦後は極東軍事裁判（東京裁判）で通訳官もつとめた

イ　脚本家。「ウルトラマンを創った男」ということでも知られている

ウ　元県立博物館館長、著書に『組踊写本の研究』など。2020年死去

エ　琉歌集『琉歌全集』『琉歌大観』を編む。『沖縄語辞典』にも貢献

9　次の文章を読んで、各設問に答えてください。

a.「弾を浴びた島」　b.山之口 貘

島の土を踏んだとたんに
ガンジューイとあいさつしたところ
はいおかげさまで（　①　）ですとか言って
島の人は日本語で来たのだ
c.郷愁はいささか戸惑ってしまって
ウチナーグチマディン　d.ムル
イクサニ　e.サッタルバスイと言うと
島の人は苦笑したのだが
沖縄語は上手ですねと来たのだ

【写真A】

問１　下線部a山之口貘の詩「弾を浴びた島」について、この詩の歌碑【写真A】がある場所は、次のうちどれですか。記号で答えてください。**(41)**

ア　那覇市の与儀公園　　イ　恩納村の県民の森
ウ　那覇市の波上宮　　エ　嘉手納町・読谷村に架かる比謝橋付近

問２　下線部b山之口貘について、以下の問いに答えてください。

〔ｉ〕1959年に山之口貘が受賞した文学賞は次のうちどれですか。記号で答えてください。**(42)**

ア　石川啄木賞　　イ　中原中也賞　　ウ　萩原朔太郎賞　　エ　高村光太郎賞

〔ⅱ〕山之口貘が生きた時代（1903年～1963年）にあてはまらない出来事は、次のうちどれですか。記号で答えてください。**(43)**

ア　方言論争が起こる　　イ　沖縄県祖国復帰協議会が結成される
ウ　若夏国体が開催される　　エ　沖縄諮詢会が設置される

問３　空欄①について、島の人は何と答えましたか。主人公が「ガンジューイ」とあいさつしたのに対して、島の人が「はいおかげさまで」と言ったことをヒントにして答えてください。**(44)**

ア　晴れ　　イ　曇り　　ウ　陽気　　エ　元気

問４　下線部c「郷愁はいささか戸惑ってしまって」について、主人公はどうしてそのような気持ちになったと考えられますか。その理由が示された以下の文章中の空欄②にあてはまる語句を、詩中で使われている語句から選んで答えてください。**(45)**

　主人公が久々に沖縄に帰ってきて、故郷を懐かしむために（　②　）であいさつしたのに対し、沖縄島の人が日本語で応えたことで、故郷を素直に懐かしむ気持ちに浸れなくなってしまったから。

問５　下線部dを日本語の標準語に直すと何と言いますか。記号で答えてください。**(46)**

ア　大げさに　　イ　全て　　ウ　多少は　　エ　適当

問６　下線部eを日本語の標準語に直すと何と言いますか。記号で答えてください。**(47)**

ア　やられたのか　　イ　やられないのか　　ウ　やったのか　　エ　やっていないのか

10　次の各設問に答えてください。

問１　2019年、全国高校生短歌大会で國吉伶菜さん（昭和薬科大学附属高校）の短歌「碧海に　コンクリートを流し込み　儒良の墓を建てる辺野古に」が特別審査員小島ゆかり賞を受賞しました。句にある「儒良」は何と読みますか。ひらがなで書いてください。**(48)**

問２　2020年４月、沖縄県の蝶が選定されました。その蝶は次のどれですか。**(49)**

ア　オオゴマダラ　　イ　コノハチョウ
ウ　ヨナグニサン　　エ　リュウキュウアサギマダラ

問３　2020年８月、第10回沖縄平和賞が決定しました。その受賞者はどの団体ですか。**(50)**

ア　核兵器廃絶国際キャンペーン（ICAN）　　イ　国際協力NGOセンター（JANIC）
ウ　世界食糧計画（WFP）　　エ　日本国際ボランティアセンター（JVC）

2020年度　沖縄歴史検定解答用紙

2021年　1月31日　実施

1	1	
	2	
	3	
	4	
	5	
	6	
	7	
2	8	
	9	
	10	
	11	
	12	
	13	
	14	
3	15	
	16	
	17	
	18	

4	19	
	20	
	21	
	22	年
	23	
	24	
	25	
5	26	
	27	
	28	
	29	
	30	
6	31	
	32	
	33	
	34	高等学校
7	35	
	36	

7	37	
8	38	
	39	出　　欠
	40	
9	41	
	42	
	43	
	44	
	45	
	46	
	47	
10	48	
	49	
	50	

点

受検番号

氏名:

2016-20 年度

沖縄歴史検定

解答・解説

2016年度　沖縄歴史検定解答用紙

年　月　日実施

大問	番号	解答
1	1	ア
	2	イ
	3	エ
	4	ウ
	5	ア
2	6	尚寧
	7	イ
	8	謝恩使
	9	慶賀使
3	10	イギリス
	11	アヘン戦争 または 英清戦争
	12	ベッテルハイム
	13	那覇
4	14	ハワイ
	15	満州
	16	エ
	17	ア
	18	エ
4	19	エ
	20	エ
	21	シムクガマ
	22	南冥の塔
	23	豚（ぶた、ブタ）
5	24	ウ
	25	イ
	26	ウ
	27	ア
	28	イ
	29	ウ
6	30	ア
	31	a
	32	ミナミコメツキガニ （コメツキガニも可）
	33	イ
7	34	17　年後
	35	ウ
	36	カタカシラ
7	37	ウ
	38	エ
8	39	竹富町
	40	伊是名村
	41	久米島町
	42	与那国町
	43	那覇市
	44	c
9	45	d
	46	a
	47	a
	48	c
	49	b
	50	b

各２点（100点満点）

高校生	一般
86点以上　…１級	90点以上　…１級
70 ～ 84点…２級	78 ～ 88点…２級
56 ～ 68点…３級	64 ～ 76点…３級

点

氏名：

2016年度　沖縄歴史検定　解答・解説

1

問1（1）ア　押引文土器　南城市のサキタリ洞遺跡で出土した土器で、周辺の遺跡などから同時期とされる土器が見つかっている。爪形文土器は約７千年前、伊波式土器は約４千年前の沖縄諸島の土器。市来式土器は縄文後期の九州の土器で、奄美・沖縄諸島にも分布する。

問2（2）イ　宮古諸島で下田原式土器が確認されているのは多良間島のみである。

問3（3）エ　瓦　現在みられる赤色の瓦ではなく、灰色をした瓦である。浦添市の浦添グスク・ようどれ館の屋根はこの瓦を再現している。生産された年代、場所について不明な点が多いが、年代は発掘調査などから「癸酉年」は1273年、1333年の二説が有力とされる。現在用いられる赤瓦の生産の開始は16世紀とされる。

問4（4）ウ　秀吉の朝鮮侵略では陶工も日本に連行され、薩摩などで陶器生産に関わった。琉球に渡った３人のうち、一六（仲地麗伸　生年不詳～1638）は琉球に残り作陶の指導を続けた。

問5（5）ア　壺屋　喜名は読谷村、湧田は那覇市、古我地は名護市にあった窯。ただ、統合後に各地の窯が閉鎖されたかははっきりとせず、湧田窯はその後しばらく陶器生産を行っていたとする見方もある。

2

問1（6）尚寧（1564～1620）

問2（7）イ（硫黄鳥島）　与論島以北を自らの領土とした島津氏だったが、硫黄鳥島から取れる硫黄は、琉球から中国への貴重な進貢品だったため、硫黄鳥島だけは琉球国の領土として残す政策をとった。アは徳之島、ウは沖永良部島、エは与論島。

問3　B（8）：**謝恩使**　C（9）：**慶賀使**

3

問1（10）イギリス　アルセスト号とライラ号は、中国との交易システム改善を目的にイギリスから派遣されたアマースト使節団を目的地に送り届け、使節団が公務を終えるまでの間、東シナ海の海域を探査し、琉球にも来航した。ライラ号の艦長バジル・ホール（1788～1844）による航海記の訳書である『朝鮮・琉球航海記』、ライラ号の乗員クリフォードによる日記の全訳である『クリフォード訪琉日記』などから当時の状況を垣間見ることができる。

問2（11）アヘン戦争　または　**英清戦争**　アヘン密貿易の取締りを強行した清に対し、イギリスが行った戦争。インディアン・オーク号は、「アヘン戦争」開戦直後にイギリスが占領した舟山島（中国浙江省）から書簡を広東に届けるための航海中に遭難し、北谷沖に漂着した。乗員は上陸後、北谷間切の人々等から食料の提供や宿舎の建造、帰還のための船の建造など手厚い保護をうけ、無事に帰還している。現在、北谷町安良波公園のビーチには、その歴史を伝える石碑やインディアン・オーク号を模した遊具が設置されている。

問3（12）ベッテルハイム（1811～1870）　プロテスタント宣教師としてイギリスからやってくる。13カ国語を習得するなど語学力にすぐれ、『英琉辞書』、『琉訳聖書』などを著す。ペリー（1794～1858）が来航した際には琉米の仲介役となり、1854年にペリー艦隊とともに琉球を去った。フォルカード（1816～1885）は、1844年にアルクメーヌ号の乗員としてやってきたフランス人カトリック宣教師。天久の聖現寺に滞在、『琉仏辞書』を著す。ビッドル（1783～1848）は、1846年浦賀に来航したアメリカ東インド艦隊司令長官。プチャーチン（1803～1883）は、1853年開国を要求するため長崎に来航したロシア使節。

問4（13）那覇　琉球語のハ行音の変遷については、冊封使録や19世紀に多く来航した異国船の乗員の記録（日記）を用いた分析から、[p]→[(f)]→[h]へと変化してきたことが指摘されている。

4

1899年に初の移民が海外に渡って以降、多くのウチナーンチュが移民や出稼ぎに行き、沖縄経済、沖縄県民の生活の大きな支えになった。沖縄戦中、移民帰りの人や米軍に従軍した沖縄二世などにより、多くの命が助けられた。また戦後も沖縄救援運動により多くの沖縄県民は餓死から逃れられた。このように沖縄戦も含めて沖縄の近代は、移民と不可分の関係にある。2016年10月27～30日にかけて第６回世界のウチナーンチュ大会が開催された。

問１（14） ハワイ

問２（15） 満州（中国東北部、東北地方、東三省でも可。）

問３（16） エ　奈良原繁　奈良原繁（1834～1918）は、1892年から15年10ヶ月にわたって沖縄県知事（第８代）を勤め、沖縄の近代化政策を進めた。奈良原は当初、當山久三の移民申請を不受理にするなど、移民政策に消極的であった。鍋島直彬（なおよし）（1843～1915）は初代県令。上杉茂憲（もちのり）（1844～1919）は２代目の県令。島田叡（あきら）（1901～1945）は沖縄戦当時の知事で、最後の官選知事である。

問４（17） ア　追い込み網漁　設置してある網の中に魚を追いこんでいく漁業のこと。小型のものは古くからある漁法だが、明治時代になって糸満の金城亀（生没年不詳）によって中・大規模な漁法（沖縄語でアギヤー）が考案された。

問５（18） エ　ソテツ地獄　芋すらも食べられず、調理法をあやまれば死ぬおそれもあるソテツを食べなければならない状況から名付けられた。

問６（19） エ　兵役から逃れるため

問７（20） エ　沖縄戦と同じように、「強制集団死」がおこり多くの住民が犠牲になった。南洋諸島の戦いでは、軍による虐殺もおこっており、沖縄戦との共通点が多い。

問８（21） シムクガマ　「強制集団死」がおこったガマは読谷村のチビチリガマ。アブチラガマは南城市玉城にあり南風原陸軍病院の分院として使われた。ヌヌマチガマは八重瀬町新城にあり野戦病院の分院になった。

問９（22） 南冥（なんめい）の塔　現在の形に整備したのはタツオ・ヤマモト（1922～2009）ではない。

問10（23） 豚（ぶた、ブタ）　沖縄戦に従軍した比嘉太郎（1916～1985）はハワイの新聞に「島に人影なく、フールに豚なし」と投稿し、沖縄救援運動を呼びかけた。その後、嘉数亀助の発案により布哇（ハワイ）連合沖縄救済会（会長・金城善助）が寄付をつのり550頭の生きた豚を購入し、沖縄に送り届けた。これにより沖縄の食糧難が緩和されるとともに壊滅寸前の養豚業の復活に大きく貢献した。

5

問１（24） ウ　若夏国体　沖縄の日本復帰を記念して実施された三大事業の一つ。「強く、明るく、新しく」のスローガンのもと、1973年５月に那覇市奥武山運動公園をメーン会場に県内12の市町村で開催された。通常の国体の規模に比べると小規模であったが、遅れた沖縄の社会基盤整備を行う契機となった。

問２（25） イ　沖縄国際海洋博覧会　「海　その望ましい未来」を統一テーマとして、日本を含む36か国が参加して、1975年７月から1976年１月にかけて開催された。最大の目玉は未来型海洋都市「アクアポリス」で、入場者数は約349万人に上った。開催にあわせて、沖縄自動車道の一部開業や国道の拡幅などの開発が、急ピッチで進められが、一方、そのような開発は赤土の海への流出を招く事態にもつながり、サンゴ礁に被害を与えるという海洋汚染も引き起こした。また海洋博閉会後の反動による経済不況も大きかった。海洋博終了後、跡地は国営沖縄記念公園海洋博公園となった。海洋生物園は公園内の中核施設として営業を続け、現在は建物も建て替えられて、沖縄美ら海水族館となっている。

問３（26） ウ　ＣＴＳ　ＣＴＳ（Central Terminal System）は石油備蓄基地のこと。産業振興と雇用拡大を目的に1972年から建設が始まった。勝連半島から平安座島・宮城島を結ぶ海中道路が建設され、大きな経済効果が期待されたが、それほど大きくなかった。また、原油流失事故などによる海洋汚染が大きな問題となり、地域住民等から激しいＣＴＳ反対運動が起こることとなった。

問４（27） ア　屋良朝苗（1902～1997）　沖縄県読谷村に生まれる。広島高等師範学校（後の広島大学）卒業後に教師となり、沖縄戦後は沖縄教職員会長などの要職を勤める。1968年に行われた琉球政府行政主席選挙で、沖縄の日本早期復帰を訴えて革新候補として立候補し、保守系候補で沖縄の日本復帰を時期尚早であると訴えた西銘順治候補を破って、第５代主席となる。1972年に行われた最初の沖縄県知事選挙でも勝利した。日本復帰前後の日米両政府との困難な交渉にあたり、平和な沖縄づくりに尽力した。しかし一方では、経済活性化のために導入したＣＴＳ事業で海洋汚染問題等が表面化し、地域住民等から批判を受ける一面もあった。

問５（28） イ 約５％ 2013年現在の沖縄県民総所得は４兆1,200億円で、そのうち米軍基地関係受取金額（軍雇用者所得・軍用地料等）は2,088億円である。したがって県民総所得に占める米軍基地関連収入の割合は、約5.1%である。

問６（29） ウ 約18％ 2015年現在の沖縄島の面積は（道路でつながっている周辺離島を含める）約1,263㎢で、そのうち米軍基地関係面積は約230㎢である。2015年現在の沖縄島の中に占める米軍専用施設面積の割合は、約18.2%である。

6

問１（30） ア アヤグ 宮古地方の歌謡を表すのはアヤグ（アヤゴ）である。選択肢中のオモロは奄美から沖縄諸島、ドゥナンスンカニは与那国、トゥバラーマは八重山の歌謡の様式である。なお設問に掲げられている詞章は「網張の目高蟹ユンタ」。

問２（31） a 2005年にラムサール条約登録湿地に登録されたのは「名蔵アンパル」で、アンパルの漢字表記が網張である。

問３（32） ミナミコメツキガニ（コメツキガニも可）なお歌詞中に登場する他の蟹の和名は次の通り。木綿引き蟹…タイワンシオマネキガニ、舟浦蟹…ソデカラッパ、走馬蟹…ツノメガニ。

問４（33） イ 知念績高（1761～1828） 三線と最も関係の深いのは知念績高。現代の野村、安冨祖の三線両流派の祖である野村安趙（1805～1871）、安冨祖正元（1785～1865）の師である。ちなみに佐渡山安健（1806～1865）は絵師、又吉昌常（1795～1879）は琴瑟（きんしつ）奏者、摩文仁朝信（1892～1912）は文人。

7

問１（34） 17年後 沖縄県の設置は1879年。

問２（35） ウ 開化党 1879年の廃琉置県後の沖縄では、日本化を良しとする人々を開化党と言っていた。これに対して旧来のように中国との関係を重視する人々を頑固党と言っていた（もちろんこの党派の人々による自称ではない）。

問３（36） カタカシラ

問４（37） ウ 守礼門―中山門 正しい組み合わせは守礼門―中山門で、綾門大道は守礼門から玉陵向けの通りのこと。中山門は現存しないが通り沿いの今の首里高校の敷地を過ぎた所あたりにあった。広福門、木曳門、奉神門はそれぞれ首里城にある門の名（いずれも復元済み）。

問５（38） エ 10月25日 1936年10月25日に空手関係者の座談会が開かれ、そこで「唐手」ではなく「空手」と表記する方針が決められたことに由来する。沖縄県は2005年に県議会でこの日を「空手の日」に制定することを決議し、2017年３月４日には豊見城市に沖縄空手会館をオープンさせることになった。

8

A（39） 竹富町 竹富町役場の建設位置問題で「石垣市内」か「西表島・大原」への移転かを問う住民投票が実施され、「西表島・大原」案が319票上回った。国内では、鹿児島県の三島村、十島村、沖縄県の竹富町が町村内に役場が置かれていない。

B（40） 伊是名村 2015年に琉球王朝の第二尚氏の開祖・尚円王が伊是名村で生誕して600年の節目を記念するイベントが伊是名村を中心に開かれた。

C（41） 久米島町 久米島町と名護市でみぞれを観測した。みぞれは雪の観測となり、久米島町での雪の観測は1977年以来39年ぶり、名護市では初めてとなった。

D（42） 与那国町 与那国島への陸上自衛隊配備計画で防衛省は周辺をレーダーで監視する「与那国沿岸監視隊」を発足させた。沖縄が日本復帰した1972年以降、自衛隊施設の新設は初めてとなる。

E（43） 那覇市 那覇市はLGBT理解を深める取り組みを実施しており、７月に導入された。渋谷区（東京）、世田谷区（東京）、宝塚市（兵庫）、伊賀市（三重）に次ぐ全国５例目となる。

問２（44） c 沖大東島 → リン鉱 沖大東島のリンが正答。鳥の糞と珊瑚の石灰質とが化学変化してできたグアノを産出した。ａの硫黄鳥島は硫黄で、

二〇一六年

中国へ進貢する硫黄の産地として知られた。ｂの西表島は石炭で、ペリー艦隊が沖縄を訪問した際に周辺地域の地質を調査し、石炭が存在することを報告している。三井物産を中心に西表島西部と内離島で石炭の採掘がおこなわれた。ｄの名護市伊差川は銅で、金川（ハニガー）銅山跡之碑には「首里円覚寺の大鐘はこの銅山から出た銅で鋳造したもの」とある。

9

問１（45）　ｄ　瀬長島　瀬長島ウミカジテラスは、2015年８月にオープンしたリゾート型商業エリア。夕陽が人気の海岸沿いに、飲食店や沖縄県産のジュエリーショップなどが、30軒ほど並んでいる。

問２（46）　ａ　具志堅用高（1955～　）　国際ボクシング殿堂はボクシング界の功労者を表彰もの。元世界ライトフライ級王者で13連続王座防衛の日本記録を持つ具志堅が選ばれた。大場政夫（1949～1973）は、1973年に世界フライ級王者のまま23歳で交通事故死している。これまで日本人では、世界２階級制覇のファイティング原田（本名・原田政彦。1943～　）、国際的マッチメーカーのジョー小泉（本名・小山義弘。1947～　）、帝拳ジムの本田明彦（1947～　）会長を含め、５人が殿堂入りした。

問３（47）　ａ　デービット・ユタカ・イゲ（1957～　）　2015年１月に就任したデービット・ユタカ・イゲのこと。現在、ハワイには約４万人の沖縄県系人がおり、県系人の州知事誕生は全米で初めてである。1985年にはハワイ州と沖縄県は姉妹都市提携を結んでいる。アルベルト・フジモリ（1938～　）は第91代ペルー大統領（1990～2000年在職）である。ダニエル・イノウエ（1924～2012）はアメリカの政治家。両親は日本人で、移民先のハワイで生まれた。第二次世界大戦時はアメリカ陸軍に従軍した。1959年に民主党からハワイ州選出の下院議員に当選し、アメリカ初の日系人議員となった。アラン・アラカワ（1951～　）は県系人で、2011年からマウイ郡長を務め、2000～2001年にはマウイ・オキナワ県人会の会長も務めた。

問４（48）　ｃ　沖縄市　2015年４月から琉球ゴールデンキングスのホームタウンとなった。沖縄市は、スポーツコンベンションシティを宣言しており、2019年度の完成を目指した１万人規模の多目的アリーナの建設計画を進めている。2016年にはｂｊリーグとナショナルリーグ（ＮＢＬ）が統合して、Ｂリーグとしてスタートする。キングスはＢリーグで１部入りを決めている。

問５（49）　ｂ　芥川賞　又吉直樹（1980～　）は大阪府出身だが、父親は沖縄、母親は奄美（加計呂麻島）の出身である。『火花』は売れない芸人の主人公と天才肌の先輩芸人との交友を描いた作品である。お笑い芸人として初の受賞である。2015年上半期の芥川賞は、羽田圭介（1985～　）『スクラップ・アンド・ビルド』との同時受賞だった。

問６（50）　ｂ　南風原高校　南風原高校は最高賞に当たる文化庁長官賞優秀賞を受賞した。南風原高の優秀賞は９年ぶり２回目。同じ部門に出場した八重山農林高校も次点の優良賞を受賞している。

2017年度　沖縄歴史検定解答用紙

2017年8月27日実施

大問	番号	解答
1	1	イ
	2	イ
	3	ア
	4	エ
	5	ウ
	6	イ
2	7	北谷間切
	8	儀間真常
	9	ウ
	10	木綿（綿）
	11	ウコン（うっちん）
3	12	イ
	13	ウ
	14	エ
	15	ジュゴン
4	16	イ
	17	ハジチ
	18	ア
4	19	ア
	20	ウ
5	21	エ
	22	イ
	23	ウ
	24	ア
	25	オ
6	26	1972年 5月 15日
	27	イ
	28	ア
	29	ウ
	30	ア
	31	エ
	32	ウ
7	33	エ
	34	エ
	35	イ
	36	ア・イ・ウ（完全解答）
7	37	イ
8	38	イ
	39	ウ
	40	ア
	41	イ
	42	ア
9	43	a
	44	d
	45	b
	46	c
	47	d
	48	c
	49	c
	50	b

各２点（100点満点）

高校生	一般
86点以上　…１級	90点以上　…１級
70 ～ 84点…２級	78 ～ 88点…２級
56 ～ 68点…３級	64 ～ 76点…３級

点

氏名：

2017年度　沖縄歴史検定　解答・解説

1

問1（1）イ　これまで、約7千年前の爪形文土器が最古とされていたが、近年（2021年現在）の調査で約1万年前の土器が藪地洞穴遺跡で確認されている。大洞(おおぼら)式土器は縄文晩期（約2500千年前）の東北系の土器で、北谷町の平安山原(はんざんばる)B遺跡からみつかっている。この土器は東北で製作されたものではなく、現在の北陸・中部地方にあたる地域の人が西日本で製作した土器とされる。

問2（2）イ　徳之島　カムィヤキ（亀焼）は朝鮮半島の技術の影響を受けているとされる。

問3（3）ア　A：察度（1321～1395）
B：尚巴志（1372～1439）

問4（4）エ　園比屋武御嶽石門　1519年、竹富島出身の西塘（生没年不詳）が建てたとされる。

問5（5）ウ　オギヤカ（1445～1505）　尚円（1415～1576）の弟・尚宣威（1430～1477）を退け息子の尚真（1465～1527）を王位に就けたとされ、当時の琉球の様子を記した『朝鮮王朝実録』には「幼い王に代わり母后が政治をみている」とある。百度踏揚（生没年不詳）は第一尚氏・尚泰久（1415～1460）の娘で、阿麻和利（？～1458）を牽制するためそのもとに嫁いだ。君南風は久米島の祭祀をまとめた高級神女。サンアイイソバ（生没年不詳）は、尚真のころに与那国をまとめていた首長。

問6（6）イ　1500年、石垣島のオヤケアカハチ（？～1500）が首里王府の支配に抵抗しておこしたとされる。アは尚泰久の1458年、ウは第一尚氏・尚金福（1398～1453）の死後の1453年、エは第二尚氏・尚泰（1843～1901）の1859年におこったもの。

2

問1（7）北谷間切　現在の北谷町と嘉手納町域につけられた旧行政区画名。1908年に施行された沖縄県及島嶼町村制によって北谷村となり、1948年、嘉手納村（町）が分離し現在にいたる。

問2（8）儀間真常（1557～1644）　甘藷の普及や木綿布の製法をひろめただけでなく、儀間村の人々を中国福建に派遣し製糖を学ばせ、その製糖技術を国中にひろめた。これらの功績が認められ、1624年には役人として最も高い位である親方となった。

問3（9）ウ　青木昆陽（1698～1769）　儒学者・蘭学者。江戸幕府の8代将軍徳川吉宗（1684～1751）に登用され、甘藷の栽培を研究し、日本各地に普及させた。誤答のうち、新井白石（1657～1725）は江戸時代の政治家。工藤平助（1734～1801）は江戸時代の仙台藩医。二宮尊徳（金次郎。1787～1856）は幕末の農政家。

問4（10）木綿（綿）

問5（11）ウコン（うっちん）　薩摩侵攻以後の琉球は、中国との進貢貿易や薩摩との交際、江戸立の派遣などに莫大な費用を要し、これら貿易資金の多くを薩摩商人などからの借金でしのいでいた。首里王府は、借金返済の対策としてウコンや砂糖の栽培を奨励し、それらを大和市場に持ち込むことで利益をあげるなど、砂糖やウコンは王府財政を支える有力な商品であった。

3

問1（12）イ　蔵元　久米島や宮古・八重山に設置された地方政庁のこと。1880年には蔵元に代わって八重山島役所が設置された。誤答のうち、平等所は首里王府の申口方という部局に属し、警察と裁判を担当した。銭蔵は御物奉行方に属した政務を執行する機関の1つ。島庁は、従来の八重山島役所に代わって1896年に設置された沖縄県の出先機関。1926年、島庁の廃止にともない八重山支庁が設置された。

問2（13）ウ　石垣―大浜―宮良　誤答のうち、仲里は久米島の間切名、新川は近世期に宮良間切に属した石垣村から1757年に分離した村名、登野城は近世期に石垣間切に属した村名、平良は宮古の間切名である。

問3（14）エ　乾隆36年の大津波　1771年に発生した大津波で、「大波之時各村之形行書」などの史料から当時の被害状況を知ることができる。近年の調査・研究によって、その遡上高や震源地などが再考されている。また、石垣島には過去に襲った津波の痕跡である津波堆積物や津波石が現存している。

問4（15）ジュゴン　沖縄島北部の近海で確認される草食の海洋哺乳動物。貝塚時代には骨製品（装飾品）の素材としても利用。琉球国時代には、不老長寿の霊薬として国王に捧げられた貴重な食材であった。濫獲や一産一子とされる繁殖量、近年の埋め立て等の影響により生息数は激減、現在では絶滅危惧種に指定されている。

4

問１（16）　イ　山之口貘（1903～1963）　本名山口重三郎。極貧生活の中で生まれた詩の数々は、ユーモラスでウィットに富むものも多い。第三詩集『定本山之口貘詩集』で高村光太郎賞を受賞。世礼国男（1897～1950）は詩人、琉球古典音楽の研究者。津嘉山一穂（1905～1981）は詩人。芸術共産党と目され弾圧を受け、樺太や台湾へと居を移した。詩集に『無機物広場』がある。伊波南哲（1902～1976）は詩人。詩集『銅鑼の憂鬱』などがある。

問２（17）　ハジチ　人生儀礼のひとつで女性は７～10歳ぐらいからハジチ（針突）を入れ始めた。廃藩置県後の1899年には禁止令が施行され罰則も設けられるが、すぐになくなることはなかった。カタカシラは成人男子の髪型で沖縄風のちょんまげ。頭の中央部の髪をそり、その周囲の髪を剃髪部分で束ねて結い上げる。オハグロは明治時代以前の日本の既婚女性が歯を黒く染める習俗。タンカーは子どもが満１歳を迎えたときのお祝い。

問３（18）　ア　柳宗悦（1899～1961）　東京生まれの思想家。日常の生活道具を「民藝（民衆的工芸）」と名付け、美術品に負けない美しさがあるとする民芸運動の創始者。笹森儀助（1845～1915）は青森出身の明治期の探検家。琉球列島を踏査し、『南島探験』を著した。金城次郎（1912～2004）は陶芸家で沖縄初の人間国宝となった人物。山田實（1918～2017）は那覇市出身の写真家。終戦後シベリア抑留で壮絶な経験をし、帰還。1950年代から沖縄の人たちの暮らしや子どもたちを撮影し、沖縄写真界の興隆に尽くした。

問４（19）　ア　人類館　沖縄の世論をうけて琉球人の展示は中止されたが、その他の民族の展示は続けられた。また、展示されていた辻の遊女が「琉球の貴婦人」と紹介されていたことに対しての批判も同時に展開された。他民族への差別と同民族内での階層への差別という複数の差別意識が見てとれる事件である。

問５（20）　ウ　久志芙沙子（1903～1986）「滅びゆく琉球女の手記」は1932年の『婦人公論』６月号に掲載された。しかし在京の沖縄県学生会の抗議に遭い、翌月号に「釈明文」が掲載され連載中止に至る。上江洲トシ（1913～2010）は復帰後初の女性県議。女性の地位向上と平和運動に力を注いだ。新垣美登子（1901～1996）は作家。崎山多美（1954～　）は小説家。1989年「水上往還」、1990年「シマ籠る」で芥川賞候補となった。

5

（1）**エ**　（2）**イ**　（3）**ウ**　（4）**ア**　（5）**オ**

6

問１（26）　1972年５月15日　1952年にサンフランシスコ講和条約が発効され、連合国軍による日本統治は終了したが、沖縄県・鹿児島県奄美諸島・東京都小笠原諸島は、引き続きアメリカ委任統治下となった。米兵犯罪の扱いが不公平であること等に対する沖縄住民の反発が高まったことを受けて、1972年５月15日に沖縄県の日本復帰が実現した。

問２（27）　イ　沖縄自動車道路の建設　沖縄自動車道路は沖縄国際海洋博覧会が開催された1975年にあわせて石川～許田間が先に開通、1987年に那覇～許田間が全線開通した。福地（ふくじ）ダムは米国統治下から建設工事が始まり1974年に完成。名護21世紀の森公園が完成したのは1977年である。運天港は琉球国時代からある古い港であり、現在は伊是名・伊平屋島間の定期船就航や沖縄島北部地域の漁港、緊急避難時の港として整備されている。

問３（28）　ア　自由民主党　自由民主党は中央政権との強い結びつきに基づいた大規模な経済政策を進めることによって、沖縄県と他都道府県との格差をなくしていくことを訴えた政党である。米軍基地問題に関しては、比較的容認する姿勢である。日本社会党・日本共産党・社会大衆党は、いわゆる革新政党で、米軍基地問題に関して厳しい対応を主張する政党である。また社会大衆党は、沖縄県にしかない地域政党である。

問４（29）　ウ　沖縄コンベンションセンターの建設　沖縄コンベンションセンターは西銘県政下の1987年に完成した県立の会議展覧センター。名護市マルチメディア館は稲嶺県政下の1999年に完成した施設で、情報処理産業等の育成が主目的。金武湾の沖縄石油備蓄基地は産業振興と雇用拡大を目的に屋良県政下の1972年に建設され、原油流失事故などによる海洋汚染が大きな問題となった。下地島空港は日本国内でのパイロット養成のための訓練飛行場として1973年に開設。軍事施設への転用が懸念されたため、転用しないとの主旨の覚書が琉球政府と日本政府との間で交わされた。

問5（30） ア 大田昌秀（1925～2017） 大学教授、政治家。久米島出身。沖縄戦で鉄血勤皇隊に動員されて九死に一生を得た経験から沖縄戦の歴史的研究等に従事する。1990年、琉球大学教授を辞職して沖縄県知事選挙に出馬して当選、2期8年間県知事を務める。その後2001～2007年まで1期6年間、参議院議員を務めた。喜屋武真栄（1912～1997）は革新系の政治家で参議院議員を務めた。瀬長亀次郎（1907～2001）は沖縄人民党・日本共産党所属の政治家で那覇市長や衆議院議員を務めた。伊江朝雄（1921～2007）は保守系の政治家で、沖縄県出身者で初の国務大臣（沖縄開発庁長官）となった。

問6（31） エ 「平和の礎」の建立 平和の礎は、アジア・太平洋戦争後50年を記念して1995年に完成した。沖縄戦関連で戦死した約24万人の名前が戦勝国・敗戦国関係なく刻銘されており、そのような戦争追悼施設は前例がないといわれている。沖縄平和賞は稲嶺恵一県政時の2001年に創設され、アジア太平洋地域の平和構築・維持に貢献している個人・団体を表彰。沖縄県立芸術大学の開校は1986年、海邦国体は1987年、西銘県政時に開催され、文化・スポーツ行政が積極的に推進された。

問7（32） ウ 尚弘子（1932～ ） 琉球大学名誉教授。1972年に琉球大学教授となり、1991年に沖縄県で初となる女性副知事に就任した。東門美津子（1942～ ）は沖縄県で2番目に就任した沖縄県副知事、糸数慶子（1947～ ）は沖縄県選挙区選出の参議院議員。城間幹子（1951～ ）は、那覇市長（2014年就任）。

7

問1（33） エ 喜び 下線部aの「露の命」という表現での「露」という形容は、「露命」という熟語に直結するように「はかない」という意味である。しかし琉歌（かぎやで風節）の「露きやたごと（ツィユチャタグトゥ）」は、朝露を帯びてつぼんでいる花が、今にも咲かんとしているさまを歌ったもので、喜びを形容するために用いられている。

問2（34） エ 遍照寺 直前の詞に「行く末吉（ユクスイユシ）」とあるが、現在の那覇市末吉町にあった寺（石垣のみが現存）で、末吉宮の下方に位置していた。アの円覚寺は首里城そばにあった寺で、現在は復元された総門と放生池を見ることができる。イの極楽寺は浦添の浦添ようどれ下方にあった寺で現存しない。エの桃林寺は石垣島にある寺で、琉球国時代から残る仁王像でも著名である。

問3（35） イ 詞章中に「年ごろの里（トゥシグルヌサトゥ）」とあるが、「里（サトゥ）」は女性が男性に向けて発する言葉（文語）であるので、正答はイとなる。「里（サトゥ）」の対義語は「無蔵（ンゾ）」。

問4（36） ア、イ、ウ 「七つ重べたる（ナナツィカサビタル）」は「七つを重ねる」という意味で、つまり数えの14歳を示している。数えの14歳は満年齢では12歳、13歳が該当するため正答はア、イ、ウとなる。日本では1950年に「年齢のとなえ方に関する法律」が施行されるまで、通常数え年を使用しており、古くからある習慣で年齢に関わるものは数え年で行われる（例えば七五三は数えで行うもので、満年齢の7、5、3歳の時に行うものではない）。

問5（37） イ 玉城朝薫（1684～1734）作で、初演は1719年。切手の図案はアが孝行の巻、イが執心鐘入、ウが二童敵討、エが銘苅子。よく見ると図案中に作品名が明記されている。本書第4表紙にカラーで掲載している。

8

問1（38） イ「源為朝公上陸之趾」の碑 源為朝（1139～1170?）が保元の乱で破れ、琉球へ逃れた時の上陸地点が運天港とされている伝承にちなんで建立された碑。揮毫は東郷平八郎（1848～1934）であり、碑の石材は国頭村宜名真沖で座礁したイギリス船のバラストが使用されている。アの経塚の碑は、日秀上人（1503～1577）が妖怪退治を目的に経文を小石に写して土の中に埋めたとされることに由来。「ペルリ提督上陸之地」の碑は、ペリー（1794～1858）の来琉を記した碑で、泊外人墓地にある。エのジョン万次郎（1827～1898）記念碑は、首里王府の命により現在の豊見城市翁長に約半年間滞在していた足跡を記念して建立されたもの。

問2（39） ウ 小渕恵三（1937～2000） 九州・沖縄サミット（2000年）が小渕首相の決断で沖縄県での開催が決定され、その尽力を讃えて建立された像。ブセナホテルに隣接する「万国津梁館」にある。アの程順則（1663～1735）は、名護間切の総地頭を務め務めた。名護博物館前にある。イの泰期（生没年不詳）は、察度王の命を受けて初の進貢使として中国へ派遣された人物とされ、読谷村宇座を拠点としていた豪族であったことに由来する。エの松岡政保(1897 ～ 1989)は、第４代行政主席として政務をとった人物で金武町出身である。

問３（40） ア 吉屋チル 吉屋チルが、仲島遊郭へ売られていく途中に比謝橋で詠んだとされる歌が比謝橋近くに建てられている。イの恩納ナビは女流歌人として吉屋チルとならび称されており恩納村に、ウの平敷屋朝敏（1701 ～ 1734）はうるま市勝連平敷屋の脇地頭であったことに由来し「タキノー」という場所に、琉球古典音楽の始祖と称えられるエの赤犬子は読谷村楚辺の出身とされることに由来し、それぞれ歌碑が建立されている。

問４（41） イ 南風原陸軍病院壕 南風原町は沖縄戦の記憶を伝えるため沖縄陸軍病院南風原壕群を文化財に指定している。アの旧海軍司令部壕は那覇市と豊見城市の境界にある。ウのシュガーローフの戦跡は那覇市おもろまちに、エの嘉数高台の戦跡は宜野湾市嘉数にある。

問５（42） ア 雪国小学校ではなく北国小学校(1890年開校)。2004年３月31日に中学校は閉校となり、国頭中学校へ統合された。安岡中学校の由来とされる岡野については、字誌で「岡の上に集落が出来たので岡野と称えるようになった説」と「松岡政保氏がこの地区に住居を構えていたことから岡をとった説」がある。ウ、エとも選択肢の説明の通りである。

9

問１（43） a 旧首里城正殿鐘 尚泰久の時代に鋳造されたもので、銘文にある「万国津梁」からそうよばれる。旧円覚寺楼鐘は現存する琉球最大の鐘で、戦後、アメリカ軍により戦利品としてフィリピンに持ち去られたが返還され、旧県立博物館の鐘楼にかけられていた。旧大聖禅寺鐘も戦利品としてアメリカに持ち去られていたものが返還された。旧波之上宮朝鮮鐘は、956年の銘を記した琉球最古の鐘であったが、戦災により大部分が失われたが、残欠が博物館・美術館に収蔵されている。

問２（44） d やんばる国立公園 沖縄島北部の国頭村・東村・大宜味村の３村にまたがる国立公園。西表国立公園は沖縄県初の国立公園で、2007年に石垣島が追加されて現在は西表石垣国立公園。慶良間諸島は2014年に沖縄海岸国定公園から削除されて、新たに国立公園として指定。八重干瀬（やびじ）は宮古島の北海上にあるサンゴ礁で、国立公園ではなく名勝及び天然記念物（2013年指定）。

問３（45） b ウィルチェアー（車いす）ラグビー 仲里進（1977 ～ ）選手は浦添市出身。先天性多発性関節拘縮症という障がいを抱えている。当初は車いすバスケットボールをしていたが、ウィルチェアラグビーに転向。

問４（46） c 比嘉大吾（1995 ～） 浦添市出身で白井・具志堅スポーツジム所属。具志堅用高（1955 ～ ）の特集映像を見たことをきっかけに、高校ボクシング部に入部。比嘉栄昇（1968 ～ ）は石垣市出身のBEGINのボーカル。渡嘉敷勝男（1960 ～ ）は元プロボクサー。コザ市(現・沖縄市)出身、兵庫県宝塚市育ち。元WBA世界ライトフライ級王者。名護明彦（1976 ～ ）は元プロボクサー。那覇市出身で第21代日本スーパーフライ級王者。高校時代から総体・国体２冠と活躍し、白井・具志堅ジムからデビュー。世界戦に２度挑戦するが敗れる。

問５（47） d モアナと伝説の海 屋比久知奈（1994 ～ ）さんは、2017年３月に琉球大学を卒業。ディズニーヒロイン史上、最大級の規模で実施されたオーディションで、見事、モアナ役を射止めた。

問６（48） c 約45％ 沖縄県全体の投票率は54.5％に対して、10代（18 ～ 19歳）の投票率は46.7％だった。このうち、18歳の投票率は50.8％、19歳は42.4％だった。

問７（49） c 沖縄空手会館 沖縄空手会館は豊見城市の豊見城城址公園跡地に開館。空手に特化した施設で、道場施設のほか、展示施設などが設けられている。TAKAHIRO（1984 ～ ）は長崎県出身で、幼少時に空手を学び初段の腕前を持つ。書道八段でもあり、会館に掲げられている「清」の文字は、「清ら手」（ちゅらでぃー）の１字を用いている。

問８（50） b 10月30日 第６回世界のウチナーンチュ大会は2016年10月26日～ 30日まで、沖縄セルラースタジアム那覇をメイン会場に開かれ、26か国・２地域から過去最多の約7200人が参加した。大会最終日の10月30日を「世界のウチナーンチュの日」として制定した。

2018年度　沖縄歴史検定解答用紙

年　　月　　日実施

1	1	ア	4	19	ウ	8	37	ウ
	2	エ		20	大舛松市		38	ア
	3	イ		21	健児の塔	9	39	ア
	4	ウ	5	22	ウ		40	イ
	5	イ		23	ひめゆり		41	（全受検者正答扱い）
2	6	1609 年		24	標準語		42	エ
	7	イ		25	イ	10	43	c
	8	ウ		26	ウ		44	d
	9	エ		27	ハジチ		45	a
3	10	エ	6	28	イ		46	b
	11	ウ		29	ウ		47	c
	12	イ	7	30	ウ		48	d
	13	ア		31	ア		49	d
	14	エ		32	エ		50	a
4	15	エ		33	エ			
	16	イ		34	ウ			
	17	1879 年	8	35	イ			
	18	イ		36	エ			

各２点（100点満点）

高校生	一般
86点以上 …１級	90点以上 …１級
70 ～ 84点…２級	78 ～ 88点…２級
56 ～ 68点…３級	64 ～ 76点…３級

点

受検番号

氏名：

2018年度　沖縄歴史検定　解答・解説

1

問1（1）　ア　チョウチョ　蝶形骨器とよばれるもので、お守りのような性格をもつと考えられている。ジュゴンの骨などで作られている。

問2（2）　エ　カムィヤキ　11～14世紀に徳之島で生産されていた灰色がかった焼き物で、琉球列島全域の遺跡からみつかる。朝鮮半島の技術の影響を受けているとされる。中国製白磁、滑石製石鍋とともにグスク時代開始期の指標である。

問3（3）　イ　武寧（1356～1405）　察度王統の2代目。父の察度（1321～1395）が明の初代皇帝・洪武帝（1328～1398）からの招諭をうけ、1372年に明へ朝貢した。その後、1404年に武寧が初めて冊封を受ける（察度も冊封を受けたとする見方もある）。

問4（4）　ウ　フール　ゥワーフールなどともいう。人間の排泄物をブタに与えていたため、近代になると不衛生として禁止された。問題文にあるハワイからブタを贈られたことは、比嘉太郎（1916～1985）が「島に人影なくフールに豚なし」と沖縄の窮状を訴えたことで実現したとされる。

問5（5）　イ　識名園　那覇市識名に所在。王の別邸として　1799年に創建され、冊封使の歓待にも用いた。沖縄戦で破壊され、現在の建物は復元されたもの。天使館は冊封使の宿舎として用いられたが、世界遺産ではない。那覇市にあったが、現存しない。

2

問1（6）　1609年

問2（7）　イ　羽地朝秀（1617～1675）　羽地朝秀は、薩摩藩島津氏の侵略を被った琉球が、国としての主体的な生き方を見失い、混迷していた時代に登場した。摂政に就任した羽地は、地方の再編や質素倹約、古琉球的な古い伝統行事の改めなど、古琉球から近世琉球への転換を図るべく様々な改革を実施した。これらの改革はのちに「黄金の箍（たが）」として讃えられた。儀間真常（1557～1644）は、甘藷の普及や製糖技術を国中にひろめたことなどで知られる。牧志朝忠（1818～1862）は、ペリー艦隊が来琉した際（当時は板良敷を名乗っていた）に交渉にあたるなど、異国通事（通訳）として活躍した。平敷屋朝敏（1700～1734）は、近世琉球を代表する和文学者。『苔の下』、『貧家記』といった短編物語をのこしている。

問3（8）　ウ　ジョン万次郎（1827～1898）　土佐藩（高知県）に生まれる。出漁中に遭難し、アメリカの捕鯨船に救出された後、アメリカで英語や航海術を学ぶ。日本に帰る途中、糸満市大度海岸に上陸し、琉球で7カ月ほど保護されたという。のち中浜万次郎と名乗り、幕府の通訳などとして活躍。勝海舟（1823～1899）は、西郷隆盛（1828～1877）との会談で江戸無血開城に導いたことで知られる。また、日米修好通商条約批准のための遣米使節に随行した咸臨丸の艦長で、咸臨丸には万次郎も同乗していた。伊東マンショ（1569?～1612）は、1582年の天正遣欧使節としてローマ教皇のもとに派遣されたうちの1人。間宮林蔵（1780～1844）は、1808年に幕府の命を受けて樺太（サハリン）を探査した人物。

問4（9）　エ　尚泰（1843～1901）　第二尚氏19代の王で、琉球国最後の国王。尚真（1465～1526）は第二尚氏3代の王で、中央集権の体制を築きあげるなど、国の基盤を確立したことで知られる。尚寧（1564～1620）は第二尚氏7代の王で、薩摩藩島津氏の侵略を被った後、薩摩に連行され、駿府や江戸で徳川家康・秀忠に謁見した。尚育（1813～1847）は第二尚氏18代の王。

3

問1（10）　エ　在番　首里王府から久米島や宮古・八重山に派遣された政務の統括者。設置当初は1員制で任期も1年ほどであったが、後に在番1員、在番筆者2員、任期2年に改正される。頭以下の地方役人を指導・監督して王府の統治意図を現地で実現する任務が与えられた。蔵元は、久米島や宮古・八重山に置かれた地方政庁のこと。宮古蔵（宮古御蔵）は、近世以降に宮古・八重山からの貢布・特産品の貢納を扱った首里王府の機関のひとつで、那覇の通堂にあったとされる。地頭代は、沖縄島や久米島の地方役人で間切行政の最高責任者。

問2（11）　ウ　砂川―平良―下地　伊良部は、1647年時点ではどの間切にも属していないが、1880年には下地間切に属する村のひとつとされている。多良間は、近世において宮古の3間切のどちらにも属さない特別行政区として、３人の頭が交代で管轄した。大浜は八重山の間切名。

問３（12）イ　津波　下線部ｂの「宮古島在番記」には、乾隆36（1771）年３月10日、「大波」で人家が流されるなど、「往古未聞ノ大変」に襲われたと記されている。『球陽』によると宮古では2548名が亡くなったという。

問４（13）ア　ドイツ　ドイツ商船ロベルトソン号は、中国福州を出発しオーストラリアに向けて航行中、台風に遭い宮古島宮国村沖に座礁した。宮国村の人々や役人らは、異国人６人と中国人２人を救助したという。この漂着事件を知ったドイツの皇帝ヴィルヘルム１世（1797～1888）は感激し、1876年、軍艦を宮古島に派遣して感謝碑を建立させたという。その際、派遣された軍艦は宮古島近海の測量調査を実施していた。このロベルトソン号に関する出来事は、後に「博愛」の物語として、1937年から使用された尋常小学修身書に掲載されるなど、戦時体制下における〝博愛美談〟として利用された。

問５（14）エ　台湾　この事件（台湾漂着琉球人殺害事件）のあとに、明治政府は尚泰を藩王となし、台湾出兵を決行した（1874年）。その後の日清間では、「日本国属民等に害を加えたため出兵した」という意味の文書が交わされており、「日本国属民等」に琉球が含まれるか否かをめぐって対立が生じた。のちの「廃琉置県」の布石となった。アは久米島、イは多良間島、ウは与那国島。

4

問１（15）エ　奉安殿　正倉院は東大寺にある宝物庫。天妃宮は航海の神・媽祖（まそ）をまつる祠（ほこら）。弁財天堂は弁財天をまつる祠。

問２（16）イ

問３（17）1879（年）　2018年は明治維新の始まりから150年である。つまり明治維新は1868年に始まる。1868年の11年後なので1879年である。

問４（18）イ　伊波普猷　伊波普猷（1876～1947）は『おもろさうし』などを研究し、琉球の歴史・文化の豊かさを訴えた。当山久三（1868～1910）は沖縄県における海外移民事業を進めた人物。謝花昇（1865～1908）は参政権獲得運動を主導した人物。太田朝敷（1865～1938）は『琉球新報』の主筆として沖縄言論界をリードした人物。

問５（19）ウ　一部の地域では1960年代にも使用された。

問６（20）大舛松市　大舛松市（1917～1943）はこの戦死により沖縄県人として初めて「個人感状」が授与された。県庁、新聞、学校は「軍神大舛」キャンペーンを大々的に繰り広げ、戦意高揚につなげた。牛島満（1887～1945）は南西諸島の作戦を担った第32軍の司令官。大田実（1891～1945）は小禄飛行場を守備した海軍陸戦隊の司令官。島田叡（1901～1945）は沖縄戦当時の沖縄県知事。

問７（21）健児の塔　写真は糸満市摩文仁にある沖縄師範学校の健児の塔。他にも一中（現・首里高校）や二中（現・那覇高校）、工業学校（現・沖縄工業高校）などの各校の学徒兵犠牲者を慰霊する健児の塔がある。魂魄の塔は1946年に住民が畑や道路に散乱していた遺骨を収集し祀った塔で、沖縄戦の慰霊塔として最も古い。青丘の塔は宜野湾市嘉数にある朝鮮人犠牲者の慰霊塔。黎明の塔は、第32軍の司令官・牛島満と参謀長・長勇（1895～1945）を祀る塔。

5

問１（22）ウ

ヤッチー、アフィーはともに「ニーニー」に相当する語だが、ヤッチーを使用するのは士族で、アフィーは平民の使用する語彙。「ネーネー」に相当する語のンミー、アングヮーについては、ンミーを使用するのが士族、アングヮーは平民の使用する語彙である。なお他の選択肢のうちアは年上と年下、イは石垣島川平地方での長男と次男、エは兄弟（女性からの呼称）と姉妹（男性からの呼称）を意味する語彙。

問２（23）ひめゆり　沖縄県立第一高等女学校と沖縄県女子師範学校とで編成されたのは「ひめゆり学徒隊」（1945年３月23日成立）。現在の那覇市立大道小学校敷地が、かつて校舎のあった場所で、西側に位置する国道330号は「ひめゆり通り」という通称で今も呼称されている。なお、沖縄島の女学校在籍者により編成された他の学徒隊には、白梅学徒隊（沖縄県立第二高等女学校）、瑞泉学徒隊（沖縄県立首里高等女学校）、積徳学徒隊（ふじ学徒隊とも。私立積徳高等女学校）、悌梧学徒隊（私立昭和高等女学校）、なごらん学徒隊（沖縄県立第三高等女学校）があった。

問３（24）　標準語　問題文に掲げられた標語をよく見ると、「一億一心　言葉は一つ　十億の心を結ぶ　標準語」とある。

問４（25）　イ　正答はイの首里市。他の選択肢である石垣市は1947年、名護市は1970年、真和志市は1953年に市制が敷かれた。なお現在の那覇市は合併や編入をへて市域を広げた結果であって、戦後の1954年に首里市と小禄村を、1957年に真和志市、1975年に西原町の一部などを編入してきている。

問５（26）　ウ　タンメー、ウシュメーはともに「オヂー」に相当する語だが、タンメーを使用するのは士族で、ウシュメーは平民の使用する語彙。「オバー」に相当する語のンメー、ハンシー、ハーメーについては、ンメー・ハンシーを使用するのが士族（特にハンシーは那覇士族）、ハーメーは平民の使用する語彙である。なお他の選択肢のうちアは弟（姉から弟を呼称する場合）と妹（兄から妹を呼称する場合）、イは父と母を意味する士族語と平民語、エは息子と娘を意味する語彙。

問６（27）　ハジチ　女性の手の甲に施された入れ墨。1980年代ごろまでは戦前の被施術者に接することが出来た。なお女性のハジチとともに語られる男性の髪型の「カタカシラ」については、琉球国時代から継続してカタカシラを結っていた人物が、1960年代まで確認されている。

6

問１（28）　イ　1978年７月30日午前６時、「車は左　人は右」の標語のもと、アメリカ合衆国と同様だった車両の右側通行を、日本と同じ左側通行への切り替えが行われた。通貨切り替えは1972年５月、若夏国体は1973年５月、沖縄国際海洋博覧会は1975年７月～1976年１月が会期。

問２（29）　ウ　文部科学省は「軍の直接の命令はなかった」として、集団自決（強制集団死）の記述削除を指示した。しかし当事者の証言、各種研究でも軍の強制・誘導は事実とされている。2009年の県民大会は超党派で開催、主催者発表で約11万人が集まり検定意見撤回を求めた。

7

問１（30）　ウ　尚豊（しょうほう）　尚豊（1590－1640）は第二尚氏王統の第８代琉球国王。1616年に国質として薩摩におもむくが、同年摂政に任じられて帰国した。父の尚久（1560～1620）が尚豊の帰国を祈願し、その願いが叶えられたことを記念して、首里観音堂が建立された。即位後は社会改革と産業振興に力をつくした。

問２（31）　ア　南南西（なんなんせい）　方角や時刻を十二支で表すのが、当時は普通であった。方角は、子（ね）を北にして順序良く時計回りに表す。よって、午未（うまひつじ）は南南西にあたる。

問３（32）　エ　「上り口説」で鹿児島（薩摩）に向かう船は、那覇港を出て東シナ海をとおり、奄美大島を経由して鹿児島港に着くルートであった。

問４（33）　エ　加計呂麻島（かけろまじま）　加計呂麻島は、奄美大島の南に位置しており、奄美諸島に属している。

問５（34）　ウ　上り口説（ぬぶい・くどぅち）

8

問１（35）　イ　真南風　「まはい」「まはへ」は南風を指す。方角を琉球方言で表すと以下のとおりである。北：ニシ、南：フェー、東：アガイ、西：イリ。

問２（36）　エ　中国・東南アジア　「たう」は唐（とう）のことで現在の中国を指し、なばんは南蛮（なんばん）のことで現在の東南アジアのことを指す。

問３（37）　ウ　貿易品　『混効験集』（1711年にまとめられた琉球の古語辞典）によると、「かまへ」は貢ぎ物、または貿易品のことを表す「おもろ語」とされている。

問４（38）　ア　船ゑとのおもろ　巻13：「船ゑとのおもろ」は、航海と船と天体のことをうたった美しいオモロが多い。船を使った貿易等で国を運営していた琉球を象徴したオモロであるといえる。

9

問１（39）　ア　赤丸岬（陸繋島）から与那覇岳（503m）を結ぶ断面図である。

問２（40）　イ　23℃　23.1℃。最高気温が35℃を超える猛暑日になることはほとんど無い。これは、沖縄は陸地面積が狭く、周りを海に囲まれているためである。

問３（41）　エ　粟国島　2017年以降、粟国島でハブ発見のニュースがあるが、本来は粟国島にハブは生息しない。粟国島以外のハブがいない島は、津堅島、久高島、南大東島、北大東島、与那国島、波照間島など。

問４（42）　エ　南城市と似ているが、図の左下の鍵状になった部分が西崎町の埋め立て地。うるま市はア、沖縄市はイ、南城市はウである。

10

問１（43）　c　ライカム（RYCOM）は沖縄戦後、沖縄に設置された琉球米軍司令部（Ryukyu Command headquarters）の略称。イオンモール沖縄ライカムのある地域の新しい字として、区画整理事業をしている組合が字名を募集し、半数を超えた「字ライカム」を村に推薦した。2019年９月７日、イオンモール沖縄ライカム周辺の仲順、屋宜原、比嘉、島袋の４つにまたがる新たな字として、「字ライカム」が誕生した。

問２（44）　d　るび　琉美は2015年３月４日に県内で生まれた初めてのゾウ。名前の応募総数は6138通で、もっとも多かった「琉美」に決まり、読み方は母ゾウの琉花がくじで選んで決めた。

問３（45）　a　中部商業高校　この二人以外に、沖縄出身の選手として西原高校出身の中日ドラゴンズの又吉克樹投手がいる。

問４（46）　b　前田高地　ハクソー・リッジとは、米軍がこの崖につけた呼称（Hacksaw＝弓鋸）。浦添城跡南東にある前田高地と呼ばれた日本軍陣地を指し、急峻な崖があり日米両軍の激戦地となった。映画「ハクソー・リッジ」は沖縄戦で衛生兵として従軍したデズモンド・T・ドス（1919～2006）の実体験を描く。デズモンドはセブンスデー・アドベンチスト教会の敬虔な信徒で、沖縄戦で多くの人命を救い、良心的兵役拒否者として初めて名誉勲章が与えられた。

問５（47）　c　新垣比菜（1998～　）　うるま市出身。2011年のダイキンオーキッドレディスに大会史上最年少の小学６年生で出場して頭角を現し、2018年４月のサイバーエージェント・レディースでは初優勝した。

問６（48）　d　星空保護区　星空保護区は、国際ダークスカイ協会により設けられたもの。ただし、2018年は一部の街灯が基準を満たしていないとして期限付きの「暫定認定」とされた（2021年10月現在、正式認定の基準は満たされていない）。

問７（49）　d　スーパーモンキーズ　aのフィンガー５は1970年代に活躍した沖縄出身の兄弟アイドルグループ。bのフォルダー５は三浦大知（1987～　）が在籍した沖縄アクターズスクール出身のアイドルグループ。cは安室奈美恵（1977～　）がデビュー当時所属したスーパーモンキーズから安室と牧野アンナ（1971～　）が抜けて結成デビューしたグループ。

問８（50）　a　牧港補給地区　牧港補給地区は、浦添市の西部に立地するアメリカ海兵隊の兵站施設。通称はキャンプキンザー（Camp Kinser）で、沖縄戦で戦死したエルバート・キンザー（1922～1945）に因む。市面積の約14%を占め、沖縄の本土復帰まで陸軍の極東最大級の総合補給基地となった。bのキャンプ瑞慶覧は沖縄市・宜野湾市・北谷町・北中城村にまたがる海兵隊施設。キャンプ・フォスター（Camp Foster）は沖縄戦で戦死したウィリアム・フォスター（1915～1945）に因む。cの嘉手納空軍基地（Kadena Air Base）は、嘉手納町・沖縄市・北谷町にまたがる空軍基地。総面積19.95km2、3,700mの滑走路２本を有する極東最大の空軍基地。dの那覇港湾施設は、那覇市にある米軍施設。管理は海軍ではなく、陸軍である。

2019年度　沖縄歴史検定解答用紙

2019年 9月 1日 実施

大問	番号	解答
1	1	ア
	2	ウ
	3	イ
	4	ウ
	5	イ
	6	ア
2	7	1609 年
	8	ウ
	9	エ
	10	イ
	11	ペリー
	12	エ
3	13	イ
	14	ア
	15	ウ
	16	イ
	17	イ
4	18	10・10 空襲
4	19	ア
	20	エ
	21	（全受検者正答扱い）
	22	ア
	23	イ
5	24	ウ
	25	ア
	26	エ
	27	エ
	28	ウ
	29	ア
6	30	ウ
	31	洗骨
	32	カタカシラ
	33	伊野波
7	34	A ・―・『沖縄集』
	35	B ・―・『思出草』
	36	C ・―・『貧家記』
8	37	大宜味村
	38	あ
	39	い
	40	F
	41	B
	42	E
	43	H
9	44	d
	45	b
	46	b
	47	c
	48	a
	49	d
	50	d

7の選択肢：
・『思出草』
・『球雅』
・『三鳥問答』
・『沖縄集』
・『晨光閣唱和集』
・『貧家記』
・『老後家中記』

各２点（100点満点）

高校生	一般
86点以上 …１級	90点以上 …１級
70 ～ 84点 …２級	78 ～ 88点 …２級
56 ～ 68点 …３級	64 ～ 76点 …３級

点

受検番号

氏名：

2019年度　沖縄歴史検定　解答・解説

1

問１（1）　ア　旧石器時代　明確な旧石器時代の人工遺物がないとして、発掘調査報告書では地質年代の「後期更新世」とする。「竿根田原」の読みは複数あるとして「さおねたばる」とする。「タカヤマアブ」の名称もある。また、同洞穴は盛山・白保から嘉良嶽にまたがり、調査地点は盛山の「小字東牛種子」である。

問２（2）　ウ　箱式石棺墓　伊江村のナガラ原第三貝塚でもみつかっている。甕棺墓、支石墓も弥生文化の特徴のひとつであるが、琉球列島に伝わっていない。宮古島の墓に支石墓とする墓はあるが直接関連しない。

問３（3）　イ　座喜味城跡

問４（4）　ウ　尚清（1497～1555）のころに第一巻が成立。首里城外苑の整備は尚巴志（1372～1439。碑の建立は1427年）。『中山世鑑』は尚質（1629～1668）のころ、羽地朝秀（1617～1676）により編纂（1650年）。王家の菩提寺は円覚寺。2019年に安国山樹花木之碑などが「琉球国時代石碑」として重要文化財（古文書）に指定された。

問５（5）　イ　尚寧（1564～1620）　碑には尚真（1465～1527）の長男・尚維衡（1494～1540）の名が記されておらず、政争に巻き込まれたとされる。尚寧の墓は浦添ようどれにある。これは尚寧が「うらおそひよりしよりにてりあか」った（浦添より首里に照り上がる＝即位した：「浦添城の前の碑」）王であるため。

問６（6）　ア　豊見親　「鳴響む親」が語源とされる。墓は仲宗根豊見親（生没年不詳）の墓とアトンマ墓、知利真良豊見親墓の３件が指定されている。

2

問１（7）　1609年

問２（8）　ウ　羽地朝秀　摂政に就任した羽地は、地方の再編や古琉球的な古い伝統行事の改めなど、古琉球から近世琉球への転換を図るべく様々な改革を実施した。これらの改革はのちに「黄金の箍」として讃えられた。平敷屋朝敏（1700～1734）は、近世琉球を代表する和文学者。『苔の下』、『貧家記』といった短編物語を残している。牧志朝忠（1818～1862）は、ペリー艦隊が来琉した際（当時は板良敷を名乗っていた）に交渉にあたるなど、異国通事（通訳）として活躍した。儀間真常（1557～1644）は、甘藷の普及や製糖技術を国中にひろめたことなどで知られる

問３（9）　エ　『中山伝信録』　冊封副使として来琉した徐葆光（1671～1723）が、約８カ月の滞在を経て著したもの。『中山世譜』は1701年に蔡鐸（1645～1725）が『中山世鑑』を訂正・補足して漢文に訳したもの（「蔡鐸本」）。後に蔡温（1682～1762）が改修したものを「蔡温本」という。『琉球国由来記』は1713年に首里王府が編纂した琉球最古の地誌。『歴代宝案』は1424年から1867年に至る琉球国と中国、朝鮮、東南アジアの国々との外交文書を集成したもの。

問４（10）　イ　花売の縁　「花売の縁」は高宮城親雲上の作といわれている。「女物狂」は別名「人盗人」ともいう。なお、2019年は組踊の初演から300年という節目の年だった。

問５（11）　ペリー　ペリー（1794～1858）の率いるアメリカ東インド艦隊は、日本との交渉が失敗した場合に琉球を占領する計画で那覇に来航し、10日ほどすると、王府の抵抗をおしきって首里城を訪問した。しばらく滞在したあと日本へ赴き、日米和親条約を結ぶに至る。

問６（12）　エ　番所　番所は南殿の西側にある一階平屋建ての建物で、首里城に登城してきた人々の取次を行った。二階御殿は国王の日常的な居室として使った建物である。寄満は国王とその家族の食事を準備した場所。世誇殿は普段は王女の居室として利用されたが、国王が亡くなった際に次期国王の即位の儀式が行われる場所でもあった。

3

問１（13）　イ　ハワイ　沖縄からハワイへの移民は、1899年に27人が出発した。年をまたぎハワイに到着したのは1900年のことで、１人が身体検査の結果で上陸が許されず、26人がハワイの土を踏んだ。但しこれに先立つ私的な移民の報告もある。

問２（14）　ア　伊波普猷（1876～1947）　他の選択肢の島袋全発（1888～1953）や仲原善忠（1890～1964）、比嘉春潮（1883～1977）らも沖縄学の先人であるが、いわゆる御三家には含まれない。東恩納寛惇（1882～1963）と真境名安興（1875～1933）が残りの２名である。

問３（15）　ウ　三十六　または閩人三十六姓とも言う。但しこの来琉を記録するのは琉球側の史書のみで、中国側にそのことを記すものがなく、1392年の来琉については史実とするのには難しい側面がある。

問４（16）　イ　球陽　『球陽』は1743年から編纂が開始された琉球の史書。なお『おもろさうし』は琉球のオモロを集成した古歌謡集。『古事記』は琉球にも同名の書があって、『琉球国旧記』や『琉球国由来記』との関連が指摘されている地誌。『琉球国志略』は琉球を訪れた冊封使による著作。

問５（17）　イ　仲地麗伸（？～1638）　朝鮮人陶工は仲地麗伸で、またの名を張献功という。渡嘉敷三良（？～1604）は中国出身の瓦陶、仲村渠致元（1696～1754）と平田典通（1641～1722）は琉球人陶工。

4

問１（18）　10・10空襲（十・十空襲）　1944年10月10日、５次にわたって米軍が行った大規模な空襲。死者670人、家屋の全壊・全焼は１万1500戸に及んだ。また多くの文化財も焼失するなど、大きな被害をもたらした。

問２（19）　ア　座間味島　艦隊の停泊地とするために、座間味島をはじめとする慶良間諸島に上陸・占領した。その後、４月１日に米軍は読谷の海岸（沖縄島中部西海岸）から上陸した。

問３（20）　エ　防衛隊　約２万5000人が召集され、そのうちの半数は戦死した。海上挺身隊は、爆雷を積んだ小型ボートで米軍艦船に体当たり攻撃を行うために設置された部隊。慶良間諸島や各地の海岸線に配備された。球部隊は第32軍（南西諸島に配備された日本軍）の別名。鉄血勤王隊は当時の中学校、師範学校の生徒が編成された隊のこと。

問４（21）　<u>設問不備につき全受検者正答扱い</u>

問５（22）　ア　牛島満司令官が自決したのは６月23日。首里が陥落したのは５月31日。第32軍司令部は５月27日に摩文仁撤退をはじめた。これ以降、多くの住民を巻き込んで戦闘が行われ住民の被害者が増大する。広島に原子爆弾（当時の発表は「新型爆弾」）が投下されたのは８月６日。天皇がラジオで降伏を伝えたのは８月15日である。

問６（23）　イ　キャンプ・キンザー　浦添西海岸沿いにある米軍専用施設である。牧港補給地区とも言われる。米軍は沖縄戦中に住民を収容所に移し、土地を接収していった。そして接収地に同地区や普天間飛行場、キャンプ知念（現在は返還された）などの米軍施設を建設していった。

5

問１（24）　ウ　琉球大学　沖縄外国語学校の開校後、1947年に大学設置要求がおこると、アメリカ軍政府教育部は沖縄民政府に対してジュニアカレッジの設立を指令。1950年５月22日に首里城跡に６学部構成の琉球大学が開校、沖縄文教学校とともに沖縄外国語学校は琉球大学に吸収された。

問２（25）　ア　石川高校　1945年７月30日に現在の城前小学校の敷地に石川学園として開校式を行った。この時の生徒は49人であった。

問３（26）　エ　美里村　うるま市は具志川市、石川市、勝連町、与那原町の４つが2005年４月１日に合併して誕生した。美里村は1974年４月１日にコザ市と合併して沖縄市になった。

問４（27）　エ　浦添市　宮古島市は平良市および宮古郡伊良部町・上野村・城辺町・下地町の５市町村が、2005年10月１日に合併して誕生した。佐敷町・知念村・玉城村・大里村が合併した南城市、東風平町と具志頭村が合併した八重瀬町は2006年１月１日に誕生した。

問５（28）　ウ　1992年　1945年の沖縄戦で灰燼に帰したが、1992年、沖縄の本土復帰20周年を記念して国営公園として復元された（検定実施後の2019年10月31日の火災によって正殿を含む建物９棟が焼損）。

問６（29）　ア　琉球の風　1993年１月10日から６月13日まで放送された第31作目のＮＨＫ大河ドラマで、16世紀末～17世紀初頭、琉球王国が薩摩藩島津氏により支配されていく時代の人々を描いたものである。そのとき使用された町並みを再現したセットが現在読谷村にある「むら咲むら」である。

6

問１（30）　ウ　東恩納寛惇（1882～1963）　東恩納寛惇は大問３問２の解説にもある通り、いわゆる沖縄学の御三家の一人である（選択肢エの真境名安興もその一人）。金城朝永（1902～1955）は民俗学や沖縄語の研究を行った人。末吉麦門冬（1886～1924）は新聞社に勤めるジャーナリストでもあるが、文芸を嗜んでいたほか琉球史にも通じていた。博学の人で同時代の知識人に多くの影響を与えるも、早くに亡くなった。

問２（31）　洗骨　監督の照屋年之（1972～）は、お笑いコンビ「ガレッジセール」のゴリとしても知られる。上映後は沖縄で動員５万人を突破（2019年４月）する話題作となり、同年６月のトロント日本映画祭では最優秀作品賞を受賞した。

問３（32）　カタカシラ　成人男性の髪型のこと。欹髻と表記する場合もある。

問４（33）　伊野波　地名としては本部町にある。

7

A宜湾朝保（34）— 『沖縄集』
B識名盛命（35）— 『思出草』
C平敷屋朝敏（36）— 『貧家記』

・『思出草』
・『球雅』
・『三鳥問答』
・『沖縄集』
・『晨光閣唱和集』
・『貧家記』
・『老後家中記』

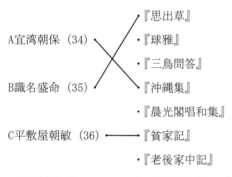

A宜湾朝保（1823～1876）は近世末期の三司官で、和歌を能くした人。『沖縄集』は宜湾の編んだ歌集で1870年成立。B識名盛命（1651～1715）は近世期の三司官で、和文学者。1699年に年頭使者として薩摩へ赴くが、『思出草』はそこでの見聞をまとめた擬古文の作品。C平敷屋朝敏（1701～1734）は組踊「手水の縁」の作者としても知られる和文学者。『貧家記』は1720年代の自らの経験をもとに書かれた擬古文の作品。他の選択肢のうちの『球雅』は18世紀末に編まれた琉球語の辞典。『三鳥問答』は久米島の世情を評論する作品で、18世紀末に同地に流刑となった松永親雲上が作者ではないかと言われている作品。『晨光閣唱和集』は王府最後の評定所筆者主取だった久志助法（1835～1900）が編んだ漢詩集。廃琉置県後の刊行であるが、現存は確認されていない。『老後家中記』は三司官も務めた伊江朝睦が、子孫・親族のために日常生活や相互扶助のあり方などをしたためたもので、1811年の成立。

8

問１－１（37）　大宜味村

問１－２　ロ（38）：あ　円すいカルスト
ハ（39）：い　海外雄飛の里

ロは本部町で、国内唯一の円すいカルストがある。ハは金武町で、沖縄で海外移民を牽引した當山久三（1868～1910）の出身地であり、実際に多くの移民を出したことで知られる。なお他のキーワード、「地下ダム」は糸満市や宮古島市にあり、「ハーリー（爬龍船競漕）発祥の地」は豊見城市、「源為朝上陸伝説」があるのは今帰仁村、「むんじゅるの里」は粟国村である。

問２　１（40）Ｆ（那覇市）　**２（41）Ｂ**（伊是名村）
３（42）Ｅ（嘉手納町）　**４（43）Ｈ**（中城村）

9

問１（44）　ｄ　てだこ浦西駅　首里駅側から石嶺駅→経塚駅→浦添前田駅→てだこ浦西駅の順。

問２（45）　ｂ　ベトナム戦争　タイトルの“サイゴン”は現在のホーチミン。ベトナム戦争時、沖縄はアメリカ軍の出撃・後方支援基地となった。

問３（46）　ｂ　下地島　いわゆる「屋良覚書」により1980年から民間航空機パイロットの訓練飛行場として用いられていたが、一時期、自衛隊誘致計画があった。ターミナルの名称は「みやこ下地島（しま）空港ターミナル」。

問４（47）　ｃ　約999万人　沖縄県の目標では１千万人であったがわずかに届かなかった。

問５（48）　ａ　空手道　沖縄県内では空手を含めて８競技が開催された。

問６（49）　ｄ　豊年祭　『琉球王国時代から連綿と続く沖縄の伝統的な「琉球料理」と「泡盛」、そして「芸能」』として、24の文化財などが認定された。

問７（50）　ｄ　与那国町　この問題はつまり、「沖縄県の最西端の自治体はどこか」という問いに等しい。日本最西端の地の自治体＝沖縄県における最西端の自治体は与那国町である。

2020年度からの変更点について

2020年度から級分け等について大きな変更がありました。具体的な変更点を掲げておきますので、ご参照下さい。

1．これまであった受験者の区分（高校生、一般）が無くなりました。
2．得点に応じての級分けが、以下のようになりました。

86点以上……　１級
70 ～ 84点 …　２級
50 ～ 68点 …　３級

（但し、過去問2016 ～ 2019年度の検定問題用紙の鏡文は、一般向けのものを収載しています）

2020年度　沖縄歴史検定解答用紙

2021年　1月31日　実施

大問	番号	解答
1	1	ウ
	2	イ
	3	カ
	4	オ
	5	ア
	6	ア
	7	ウ
2	8	ウ
	9	イ
	10	イ
	11	イ
	12	ア
	13	エ
	14	ウ
3	15	イ
	16	アヘン戦争 または 英清戦争
	17	石垣島
	18	エ
4	19	イ
	20	チュンジー
	21	ア
	22	1992　年
	23	肝心
	24	ウ
	25	空手 または 唐手
5	26	ウ
	27	ウ
	28	エ
	29	エ
	30	ア
6	31	エ
	32	沖縄戦 または 地上戦
	33	エ
	34	那覇 高等学校
7	35	ウ
	36	C
	37	ウ
8	38	盗
	39	(出)　欠
	40	ア
9	41	イ
	42	エ
	43	ウ
	44	エ
	45	ウチナーグチ または 沖縄語
	46	イ
	47	ア
10	48	じゅごん
	49	ア
	50	イ

各２点（100点満点）
86点以上 …１級
70 ～ 84点…２級
50 ～ 68点…３級
点

受検番号

氏名：

2020年度　沖縄歴史検定　解答・解説

1

問1　A(1)：ウ　B(2)：イ　C(3)：カ　D(4)：オ
Aは勝連城跡（じょうあと）（うるま市）、Bは座喜味城跡（読谷村）、Cは斎場（せーふぁ）御嶽（南城市）、Dは識名園（那覇市）。

問2(5)　ア　ゴホウラ　「貝の道」とよばれるルートで九州に運ばれた。イモガイでつくられた貝輪も九州でみつかっている。

問3（6）　ア　白保竿根田原洞穴遺跡のことを指しており、2万7千年前など、多くの人骨がみつかった。土偶は琉球列島ではみつかっておらず、伊波式は沖縄諸島の土器、カムィヤキの窯跡がみつかったのは徳之島である。

問4（7）　ウ　オヤケアカハチ（生年不詳～1500）が貢納を怠ったなどとして首里王府が軍勢を送った際、仲宗根豊見親（生没年不詳）がこれを先導したとされる。

2

問1（8）　ウ　尚寧（1564～1620）　尚寧は第二尚氏王統の第7代王で、在位は1589年から1620年。

問2（9）　イ　硫黄鳥島　与論島以北を自らの領土とした島津氏だったが、硫黄鳥島から採れる硫黄は、琉球から中国への貴重な進貢品だったため、硫黄鳥島だけは琉球国の領土として残す政策をとった。アは伊平屋島、ウは沖永良部島、エは与論島。

問3（10）　イ『御教条』　蔡温（1682～1761）によって立案され、1732年に摂政・三司官の4人の名で布達された。諸役人、農民が守るべき道徳規範・生活心得等が記されている。『歴代宝案』は、1424年から1867年に至る琉球国と中国、朝鮮、東南アジアの国々との外交文書を集成したもの。『中山伝信録』は、国王尚敬（1700～1751）の冊封副使として1719年に来琉した徐葆光（1671～1740）が、約8カ月の滞在を経て著したもの。『混効験集』は1711年に編纂、王府の宮廷語（女官の語）やオモロのことばを記録・編集したもの。

問4　①（11）：(イ)、②（12）：(ア)、③（13）：(エ)、④（14）：(ウ)　オは『混効験集』の説明。

3

問1(15)　イ　バジル・ホール(1788～1844)　フォルカード（1816～1885）は1844年にアルクメーヌ号の乗員としてやってきたフランス人カトリック宣教師。天久の聖現寺滞在、『琉仏辞書』を著す。ル・テュルデュ（1821～1861）は、フォルカードの後任として1846年にやってきたフランス人宣教師。セシーユ（1787～1873）は1846年に、和親・貿易・布教等を目的にやってきたフランス艦船の司令官。

問2（16）　アヘン戦争　または　**英清戦争**　アヘン密貿易の取締りを強行した清に対し、イギリスが行った戦争。インディアン・オーク号は、アヘン戦争開戦直後にイギリスが占領した舟山島（中国浙江省）から書簡を広東に届けるための航海中に遭難し、北谷沖に漂着した。アヘン戦争における清国の敗北は、日本や琉球も含めた「東アジア世界の激動」を告げる出来事となった。現在、北谷町安良波公園のビーチには、その歴史を伝える石碑やインディアン・オーク号を模した遊具が設置されている。

問3（17）　石垣島　ロバート・バウン号事件は、「苦力」と呼ばれる中国人労働者をアメリカに連れていく際に起こった事件だが、その背景にはアメリカ国内における労働力不足というものがあった。19世紀の中ごろから、アメリカでは北米大陸横断鉄道の建設工事や奴隷解放運動等の影響で労働力の不足が生じていたが、その不足を補うために海外に労働力を求めたのであった。上述のアヘン戦争もそうだが、19世紀以降の欧米諸国の東アジアへの進出とともに、琉球は否応なく世界史の影響を受けるようになった。

問4（18）　エ　牧志朝忠　牧志朝忠（1818～1862）は、ペリー艦隊が来琉した際（当時は板良敷を名乗っていた）に交渉にあたる等、異国通事（通訳）として活躍した。宜湾朝保（1823～1876）は、1873年、維新慶賀使として、伊江朝直（1818～1896）らと一緒に東京に行った人物。儀間真常（1557～1644）は、甘藷の普及や製糖技術を国中に広めたこと等で知られる。安仁屋政輔（1792～？）は、1816年にバジル・ホール一行が来琉した際、真栄平房昭（1787～1829）とともに頻繁に接触し、英語を習得した。牧志朝忠に英語を教えたことでも知られる。

4

問1（19）　イ　万国津梁之鐘　旧首里城正殿鐘とも言う。1458年、第一尚氏王統の時代に鋳造されたもの。現在は沖縄県立博物館・美術館に収蔵されている。同館では2017年から毎時0分及び30分に、この鐘の打音を館内放送で聞くことができる。

問2（20）　チュンジー　中国の「シャンチー」（漢字表記は同じ「象棋」）が琉球に伝わったもの。琉球への伝来について、『中山世譜』に記述のある1392年の洪武帝による閩人三十六姓（久米三十六姓）の下賜に伴うものとする言説があるが、その根拠は全くない俗説である。そもそもこの『中山世譜』の記述自体にも疑義があるほか、事実として1392年以前から華人は琉球を訪れていることもある。出土状況を踏まえると、現段階では15世紀までには伝わっていたとするのが妥当。

問3（21）　ア　鎌倉芳太郎　鎌倉芳太郎（1898～1983）は香川県出身の教師、沖縄研究者。1923年3月、首里城取り壊しの新聞記事を見て驚き、師でもあり建築家の大家であった伊東忠太（1867～1954）に働きかけて当局を動かし、首里城の取り壊しを撤回させた。沖縄での教職経験もあって琉球文化に強い関心を持つ。収集した資料は膨大で、その中には戦後首里城の再建に不可欠だった『百浦添御殿普請付御絵図并御材木寸法記』（単に「寸法記」とも）も含まれる。つまり鎌倉は戦前と戦後の二度にわたり首里城を救い、今後の再建を加えると、三度首里城を救ったことになる。紅型（「型絵染」）の人間国宝にも認定されている。イの尚泰（1843～1901）は琉球最後の国王、ウの高嶺朝教（1869～1939）は初代首里市長（首里は1921年に市制施行）で、首里城の取り壊しには前向きな姿勢を見せていた。エの南風原朝保（1893～1957）は医者で、孫に当たる作家の与那原恵（1958～　）は『首里城への坂道　鎌倉芳太郎と近代沖縄の群像』を2013年に上梓している。

問4（22）　1992年

問5（23）　肝心　日本語読み「きもごころ」が、「き」は口蓋化によって「チ」に、「もごころ（mogokoro）」の部分は三母音化（「o」は「u」に）によって「ムグクル（mugukuru）」となる。

問6（24）　ウ　田里朝直　田里朝直（1703～1773）は組踊「万歳敵討」「大城崩」「義臣物語」の三番をものした。アの神谷厚詮（生没年未詳）は組踊「大川敵討」（「忠孝婦人」「村原」とも）の作者と言われることがあるが、確証はない。イの玉城朝薫（1684～1734）は組踊の創始者で、世に言う朝薫の五番（「二童敵討」「執心鐘入」「銘苅子」「孝行之巻」「女物狂」）は、最初期の組踊でありながら高い完成度を誇っている。エの平敷屋朝敏（1701～1734）は組踊「手水の縁」の作者。

問7（25）　空手　（唐手）　「空手（唐手）に先手なし」という言葉は、今のところ文字史料としては1914年1月19日付『琉球新報』所載記事、「沖縄の武技（下）」以前に遡るものは見つかっていない。同記事は松濤館流の祖・船越義珍（1868～1957）が自らの師から聞き取った事柄を記したものである。そこには「昔から唐手に先手なしと受けることを教へて入れることを教へざるは教育上青年子弟を戒めた言葉であらう」とあって、この言葉自体は「昔から」あったと記されており、船越本人による箴言ではないことが示されている。

5

問1（26）　ウ　第32軍は強力な1個師団（第9師団）を引き抜かれていたこともあり、水際作戦から持久戦へと作戦を切り替え、無血上陸を許した後、陸地の奥に進軍させて反撃をすることで時間稼ぎをしようとした。

問2（27）　ウ　沖縄島中部西海岸　本土への攻撃を遅らせる捨て石作戦をとった日本軍は、現在の北谷町、嘉手納町、読谷村の海岸への米軍の上陸を簡単にゆるした。

問3（28）　エ　シムクガマではハワイ帰りの二人の住民がいて、彼らが米兵と対応し避難民を説得したため集団自決（強制集団死）は起こらなかった。

問4（29）　エ　牛島満　牛島満（1887～1945）は第32軍司令官。6月23日「各部隊は各地における生存者中の上級者之を指揮し、最後迄敢闘し悠久の大義に生くべし」との軍命をだし自決したとされる。大田実（1891～1945）は沖縄に配属されていた海軍部隊の司令官。6月6日夕方に電報を打って自らの覚悟を伝え、同日夜には「沖縄県民斯ク戦ヘリ県民ニ対シ後世特別ノ御高配ヲ賜ランコトヲ」の電報を打ってこの壕で自決した。島田叡（1901～1945）は沖縄戦の時の沖縄県知事。県民の北部疎開と食糧確保に奔走した。7月5日の目撃情報を最後に消息を絶った。長勇（1895～1945）は第32軍の参謀長。牛島満とともに自決。

問5（30）　ア　マラリア　マラリアは熱帯や亜熱帯地方に多い感染症。日本軍による強制退去により罹患したものを平時のマラリアと区別して「戦争マラリア」という。

6

問 1（31）　エ　真栄田義見　　真栄田義見（1902 ～ 1992）は戦前に沖縄県立第二中学校の教師を務めたこともある。他の選択肢の説明文のうち、アは大城立裕（1925 ～ 2020）、イは広津和郎（1891 ～ 1968）のこと。なおウの「復帰男」については、各地域において復帰運動に尽力した人物に対しあだ名することがあって、必ずしも特定の一個人に限定されるものではない。有名な「復帰男」には元首里市長の仲吉良光（首里出身。1887 ～ 1974）や、東京で沖縄県人会事務局長を務めていた古堅宗憲(伊江島出身。1930 ～ 1969）などがいる。

問 2（32）　沖縄戦　または　**地上戦**　　沖縄タイムス社が1950年に刊行した沖縄戦記『鉄の暴風』という書籍もある。

問 3（33）　エ　富山久三　　富山久三（1868 ～ 1910）は沖縄県における「海外移民の父」として知られる。1899年に沖縄県からハワイへ移民を送り出した。1903年には自ら移民を引率してハワイへ渡航するが、「いざ行かむ　吾等の家は　五大州　誠一つの金武世界石」はその出発にさいして歌ったものである。伊芸銀勇（1908 ～ 2005）はペルー移民で、ペルーの沖縄県人会会長や日本人会会長などを歴任した人。半生を舞台化した「GINYU 伊芸銀勇物語 ～世界に虹の橋をかけて～」が上演（初演は2019年）された。大城孝蔵（1881 ～ 1935）はフィリピン移民で、ミンダナオ島ダバオの開拓に心血を注ぎ、現在同地には地名として名を残している。謝花昇(1865 ～ 1908）は沖縄における「民権運動の父」として知られる人で、富山久三も活動をともにして政治結社の沖縄倶楽部を結んだ。

問 4（34）　那覇　　戦前、沖縄島には三校の県立中学校があった。これらのうち第一中学校は現在の首里高等学校、第二が那覇高等学校、第三が名護高等学校の前身である。作詞者の真栄田義見は那覇高等学校の初代校長も務めている。

7

問 1（35）　ウ

問 2（36）　C　　宮古島トライアスロン大会、NAHAマラソンはともに1985年、世界のウチナーンチュ大会は1990年に第 1 回大会が開催された。

問 3（37）　ウ　　①の項目はBの平良幸市（1909 ～ 1982）知事の時の出来事。

8

問 1（38）　盗　　歌意は「こうこうと照る月明かりの下に　顔を隠しているのは　盗人ではないのか」というもの。下二句に「次の字の下の　皿やあらに」とあるが、「次」というの文字の下に「皿」の字を書くと、「盗」となる。掲載記事「お手許御用心」によれば、作者の島袋三良は「年のころ五十前後の親爺」で「前科七犯の肩書ある大の酒好き」だと言う。

問 2（39）　㊤　欠　　歌意は「沖縄人の会であるから　さあみんなで連れだって参加しよう　語り合い　酒を飲み涙しよう　（沖縄を離れた）ヤマトでの生活に」。積極的参加を表明する琉歌である。

問 3（40）　ア　　作者の石川正通（1897 ～ 1982）には出身地である那覇市泉崎に歌碑がある。仲島大石のそばにあるその歌碑には二首の和歌が刻まれているが、碑の表部分に当たる碑陽で「橋内の　誇りも高き　泉崎　昔も今も　人美しく」と歌い上げる。この歌と先の琉歌をあわせて鑑賞すると、単なる土地誉めにとどまらない、愛郷心溢れる人物であることがわかる。碑陰の「英国(アルビオン)　の言の葉究め　那覇の花　見事に咲かせる貧者の一燈」という破格の一首からは、諧謔好きだったその人柄がよく伝わる。他の選択肢のうちイは金城哲夫（1938 ～ 1976）、ウは當間一郎（1938 ～ 2020）、エは島袋盛敏（1890 ～ 1970）のこと。

石川正通歌碑（碑陽）

9

問 1（41）　イ　恩納村の県民の森　　「弾を浴びた島」は恩納村の県民の森のなかに建てられている。1998年に県民の森で「芸術の森・彫刻シンポジウム」が開催された際、沖縄の文化が薫るような詩歌碑を建てようという考えによって建てられた。那覇市の与儀公園に建てられている歌碑は、山之口貘（1903～1963）の詩「座蒲団」である。山之口貘没後の13回忌にあたる1975年に建てられた。那覇市の波上宮に建てられている歌碑は二つある。ひとつめは、山城正忠（1884～1949）の短歌「朱の瓦　屋根の絲遊　春の日に　ものみなよろし　わが住める那覇」である。山城正忠は沖縄の近代期を代表する歌人・書家（沖縄三筆の一人）で、歯科医師である。ふたつめは、折口信夫（1887～1953）の短歌「那覇の江」の一連五首の一首「那覇の江に　はらめきすぐる　夕立は　さびしき舟をあまねく濡しぬ」である。折口信夫は日本近代期を代表する民俗学者で、歌人・詩人でもある。嘉手納町と読谷村の間に架かる比謝橋付近には、吉屋チルーが作ったといわれている琉歌「恨む比謝橋や 情けないぬ人の わぬ渡さともて かけておきやら（ウラムヒジャバシヤ　ナサキネンフィトゥヌ　ワンワタサトゥムティ　カキティウチャラ）」の歌碑が建てられている。

問２〔ⅰ〕(42)　エ　高村光太郎賞　山之口貘が高村光太郎賞を受賞したのは1958年で『定本 山之口貘詩集』に対しての受賞であった。また、死の直前にこれまでの詩業に対して沖縄タイムス賞を受賞した。他の選択肢の賞は全て実在するが、山之口貘はそれらの賞は受賞していない。

問２〔ⅱ〕(43)　ウ　若夏国体が開催される　若夏国体は沖縄の日本復帰を記念して1973年に開催された。方言論争が起こったのは1940年のことである。柳宗悦（1889～1961）らが「標準語励行運動」が行き過ぎであると批判したことに対して、沖縄県学務課等が反発して広がった論争である。沖縄県祖国復帰協議会が結成されたのは1960年のことである。沖縄の日本復帰運動の中核を担った機関であった。沖縄諮詢会が設置されたのは1945年８月のことである。米軍支配下にあって沖縄島の行政を担当した。沖縄諮詢会は1946年に沖縄民政府に引き継がれた。

問３（44）　エ　元気　主人公が久しぶりに沖縄に帰ってきて、「ガンジューイ」（元気ですか）と沖縄島の人にあいさつしたところ、島の人が「はいおかげさまで」と言ったことに続けて言った言葉なので、「元気です」と答えるのが適当である。

問４（45）　ウチナーグチ　または　**沖縄語**　主人公は久々に沖縄に帰ってきた。故郷に帰ってきたことを実感するため、沖縄を懐かしむために、元気ですかという意味の「ガンジューイ」とあいさつしたのに、沖縄島の人は「はい、おかげさまで元気です」と日本語で応えた。このことから主人公が、故郷：沖縄を素直に懐かしむ気持ちになれなくなったことが読み取れるであろう。

問５（46）　イ　全て

問６（47）　ア　やられたのか　ウチナーグチで「ムル」とは「全て」という意味。「サッタルバスイ」はウチナーグチで「やられたのか」という意味。「ウチナーグチマディン　ムル　イクサニ　サッタルバスイ」とは、「沖縄語（ウチナーグチ）までも全て戦争で　やられてしまったのか」という意味である。戦争が伝統文化までも壊してしまうのか、という点を鋭く突いた詩である。

10

問１（48）　じゅごん　同賞は、2019年、岩手県盛岡市で開催された第14回全国高校生短歌大会（短歌甲子園2019）のうち、個人戦で受賞したもの。昭和薬科大附属高校は、団体戦で準優勝している。

問２（49）　ア　オオゴマダラ　「沖縄県の優れた自然景観や生物多様性を支える自然環境の保全・再生の象徴として、県民に末永く愛され親しまれる本県の新たなシンボル」（沖縄県HPより）として選定。コノハチョウ、リュウキュウアサギマダラも候補のひとつにあがっていた。ヨナグニサンは蝶ではなく蛾。

問３（50）　イ　国際協力ＮＧＯセンター（ＪＡＮＩＣ）　JANICは「NGO間の情報共有と社会への発信力強化」するため、1987年に設立された。「日本のNGOの活動を長年にわたって支え、世界の平和と人間の安全保障の実現に貢献してきた」として受賞した（沖縄県ＨＰより）。JVCは2018年の沖縄平和賞受賞団体。ICANは2017年、WFPは2020年のノーベル平和賞受賞団体。

沖縄歴史検定 受検データ（一般2016～2020年度）

		2016年度	2017年度	2018年度	2019年度	2020年度
得点	最高得点	96点	96点	90点	88点	92点
	平均点	71点	70点	71点	63点	68点
認定率	1級	6.3%	4.4%	2.1%	0.0%	5.8%
	2級	27.1%	21.7%	33.3%	17.1%	50.0%
	3級	39.6%	50.0%	41.7%	28.6%	32.4%
	総認定率	72.9%	76.1%	77.1%	45.7%	88.2%

※受検者数は非公開
※平均点は小数点以下一桁で四捨五入を行った
※認定率は小数点以下二桁で四捨五入を行った

メ　モ

メ　モ

メ　モ

メ　モ

過去問題集編者　仲 村　顕（沖縄歴史教育研究会副会長）
過去問題集編集協力　西 銘　章（沖縄歴史教育研究会会長）
歴史検定問題・解説監修　新城 俊昭（沖縄歴史教育研究会顧問）
歴史検定問題・解説作成　沖縄歴史教育研究会

沖縄歴史検定　解説付き過去問題集（2016-2020年度検定）

2021年12月12日　発行

編　者　沖縄歴史教育研究会
　　　　仲村 顕

印　刷　株式会社　東洋企画印刷
発売元　編集工房　東洋企画
　　　　〒901-0306　沖縄県糸満市西崎町4-21-5
　　　　TEL 098-995-4444 / FAX 098-995-4448

ISBN 978-4-909647-38-2 C0020　¥700 E